C000100606

Llyfr y Flwyddyn

Llyfr y Flwyddyn
MARI EMLYN

ISBN : 978-1-913996-63-5

© Mari Emlyn 2022
© Gwasg y Bwthyn 2022

Cedwir pob hawl.
Ni chaniateir atgynhyrchu unrhyw ran o'r cyhoeddiad hwn,
na'i gadw mewn cyfundrefn adferadwy, na'i drosglwyddo mewn
unrhyw ddull na thrwy unrhyw gyfrwng, electronig, electrostatig,
tâp magnetig, mecanyddol, ffotogopïo, recordio, nac fel arall,
heb ganiatâd ymlaen llaw gan y cyhoeddwyr.

Dyfyniadau tudalen 43 o:
O! Ty'n y Gorchudd, Angharad Price, Gomer/Lolfa
Dringo'r Andes & *Gwymon y Môr* gan Eluned Morgan,
Clasuron Honno 2001. Agraffwyd *Dringo'r Andes* am y tro cyntaf
yn 1904 gan y Brodyr Owen, Y Fenni.

Dymuna'r cyhoeddwr gydnabod cymorth ariannol
Cyngor Llyfrau Cymru

Dyluniad y clawr: Ifan Emyr
Dyluniad mewnol: Almon

Cyhoeddwyd gan
Gwasg y Bwthyn, 36 Y Maes, Caernarfon, Gwynedd LL55 2NN
post@gwasgybwthyn.cymru – 01558 821275
www.gwasgybwthyn.cymru

Llyfr
y
Flwyddyn

MARI EMLYN

Cyflwynaf y nofel hon
i'm gŵr, Emyr,
sydd ddim byd tebyg
i Robin!

Gwrandawodd Robin ar atsain clep drws y tŷ'n diasbedain yn donnau mân. Safodd yn stond yn moeli ei glustiau. Gwyrodd ei ben fymryn i un ochr. Clustfeiniodd eto'n ddisymud. Tawodd taran y drws yr haid adar fu'n trydar ers ben bore. Nid trydar chwaith. Roedd trydar yn sain i'w groesawu, i'w fwynhau. Na, nid trydar, ond crawcian croch. Gwrandawodd ar y tonnau'n gostegu. Roedd yna hud i dawelwch; roedd iddo sain arbennig oedd yn deffro'i synhwyrau i gyd.

Datblygodd Robin ei allu i wrando dros y misoedd diwethaf er gwaethaf melltith y Tinnitus. Gwyddai mai trwy wrando y gallai syniadau dyfu a dod yn fyw. Dim ond trwy wrando y gallai fod yn rhywun o bwys. Nid drwy ei glustiau'n unig y gwrandawai bellach, ond gyda'i lygaid; drwy ei groen, i'w berfeddion, ac i fêr ei esgyrn i gyd.

Tynnodd ei fysedd yn ysgafn ar hyd ei foch chwith. Roedd y sgriffiadau wedi mendio. Gadael marc oedd uchelgais Robin, nid gadael craith. Bu'n hynod o ofalus wrth eillio dros y briw y bore hwnnw. Aeth bron i wythnos o dyfiant i lawr y sinc, gan adael huddyg o flewiach blêr i lynu fel gwybed du ar y porslen gwyn. Roedd henaint yn sibrwd ei wawd arno o ddrych y cabinet uwchben sinc yr ystafell ymolchi ac oed yr addewid yn rhuthro tuag ato. Peth diflas oedd y busnes heneiddio 'ma. Gallai hyd yn oed pwl o disian achosi iddo dynnu cyhyr yn ei gefn erbyn hyn.

Tybiai ei bod hi'n ddiogel iddo wynebu'r byd heddiw. Anodd credu fod bron i wythnos wedi mynd heibio ers iddo adael y tŷ. Wythnos gyfan heb weld yr un enaid byw. Hyn a hyn o feudwyaeth y gallai dyn mor gymdeithasol ag o ei ddioddef.

Roedd y posibilrwydd y gallai pobl eraill glywed synau na allai o eu clywed yn pwyso'n drwm arno. Nid oedd y diffyg cwsg yn help chwaith. Roedd y nosweithiau'n llusgo'n boenus o araf ac yntau'n gorwedd yn y gwely y bu'n ei rannu efo Llinos am bron i hanner canrif. Peth rhyfedd oedd meddwl amdani hi mor agos ac eto mor bell! Chwarddodd Robin ar yr ystrydeb. Pethau da oedd ystrydebau; pethau'n seiliedig ar wirionedd hyd yn oed os oedd y gwirioneddau hynny'n dreuliedig! Ond roedd Robin yn casáu'r nosweithiau didostur a'i awydd angerddol am gwsg di-dor yn bader ofer noson ar ôl noson. Credai'n siŵr mai fo oedd pia'r nos, fel tylluan hurt ar sbid. Ai canol oed oedd i gyfrif am y diffyg cwsg ynte'i amgylchiadau? Doedd y clychau diddiwedd yn ei glustiau ddim yn helpu'r achos. Gwyddai mai blynyddoedd ei ieuenctid yn waldio drymiau oedd yn gyfrifol am hynny.

Neu tybed oedd gan yr holl fonclustiau a gafodd yn blentyn rywbeth i'w wneud â'r nam ar ei glyw?

Daeth dyddiau'r drymio i ben ers tro byd. Ond dim ond ychydig fisoedd yn ôl y symudodd ei ddrymiau o'i stiwdio sain yn y seler i un o'r llofftydd sbâr yng nghefn y tŷ. Doedd dim chwithdod na hiraeth yn ei benderfyniad i wneud hynny. Roedd hi'n fater o raid. Diwedd cyfnod, ie, ond pennod newydd yn agor iddo. Dalen wag.

Gwrandawodd eto. Roedd ansawdd y tawelwch wedi newid o fewn yr eiliadau diwethaf. Ynte ai ei glustiau oedd yn graddol gynefino wrth iddo glywed grŵn traffig pell y pentref yn tarddu o'r stryd fawr islaw? Clywodd gi ei gymydog yn cyfarth ei staen ar y llonyddwch. Gafaelodd ym mwlyn y drws eto i wneud yn siŵr. Edrychodd ar ffenestri'r tŷ. Nid oedd llygaid dall y ffenestri'n dadlennu dim.

Swatiodd yr amlen fawr yn warchodol o dan ei gesail. Lapiodd y swp goriadau'n dynn yn ei hances boced er mwyn nadu iddynt gloncian yn ei boced. Sylwodd ar y chwyn tagu'n ymwthio'n llanw di-drai o'r llwybr i gyfeiriad y tŷ. Byddai'n rhaid iddo fo wneud rhywbeth am hynny eto. Ond nid rŵan. Cerddodd yn bwrpasol o'r tŷ at y llwybr cul a arweiniai at yr allt fyddai, yn ei phen draw, yn dod â fo at y lôn bost i'r pentref. Oedodd wrth y giât a chodi ei olygon yn ôl at y tŷ unwaith yn rhagor. Oedd, roedd y blydi brain yn dal i glwydo ar gorn simdde'r lolfa. Gwyddai Robin y dylai alw Tomi Tân i ddod draw, nid yn unig i llnau'r lle tân ond i osod cwfl simdde i nadu'r brain rhag clwydo. Ond nerfus iawn oedd Robin i wahodd neb i'r tŷ ar hyn o bryd. Cefnodd ar y brain, y tŷ a'i gynnwys, a throi am y pentref.

Gwelodd Robin gath ddu yn croesi'r llwybr o'i flaen a diflannu i'r drain. Doedd o erioed wedi gweld hon o'r blaen. Arwydd da, meddyliodd. Arwydd y byddai'r diwrnod hwn yn un da i Robin. Go dda!

Gwrandawodd ar guriad camau ei draed ar y llwybr gro. Byddai ansawdd y sain yn wahanol pe bai hi wedi bod yn bwrw. Heddiw roedd y cerrig mân yn crensian yn sych a chaled o dan draed. Roedd cychwyn yr hydref mwyn hwn yn gynffon i ddiwedd haf gwlyb ond trymaidd; neu felly y teimlai Robin. Trodd ei gamau i gyfeiriad Allt yr Hebog. Bu'r mieri'n drwm gan fwyar duon ond roedd rheiny wedi ceulo'n sypiau crebachlyd sych bellach. Cofiai fel yr arferai Llinos, ar ddiwedd haf, grwydro'r llwybrau i'w casglu i greu tartenni blasus. Roedd meddwl am y mwyar yn gwaedu'n goch drwy ôl Nod Cyfrin y crwst yn tynnu dŵr o'i ddannedd. Byddai Llinos wastad yn mynnu bod rhaid mwyara cyn Gŵyl Mihangel gan y byddai tylwyth teg y Pwca yn poeri gwenwyn arnynt wedi hynny. Roedd y mwyar wedi aeddfedu'n barod i'w pigo'n syndod o gynnar eleni. Cawsant lonydd yn y drysi. Ni chafwyd tarten yn Argoed am y tro cyntaf ers blynyddoedd.

Er gwaethaf ei amheuon am anallu ei glustiau, gwyddai mai dim ond y fo fedrai glywed gwichian ei esgid chwith yr eiliad honno. Dim ond y fo fedrai deimlo'r goriadau'n taro'i glun yn glais. Gafaelodd yn yr amlen gyda'i ddwy law a'i chlywed yn siffrwd chwarter nodau fel brwsh yn dyner ar symbal. Ymgollodd yn nhempo'i gerddediad. Roedd haenau'r synau'n gymysg â'i anadl yn creu symffoni Frank Zappaidd yn ei ben. Gwenodd wrth gofio un o'i hoff ddyfyniadau gan Zappa,

If you want to get laid, go to college.
If you want an education, go to the library.

Do, gwnaeth yn fawr o'i ddyddiau coleg. Ond yn wahanol i Llinos, ni fu'n ymwelydd ffyddlon â llyfrgell y brifysgol, ar wahân i'r adegau y bu'n chwilio amdani hi. Bu'r cwrso'n werth chweil. Maes o law bachodd hithau'r abwyd ac ildio iddo.

Er iddynt gael eu magu yn yr un pentref, prin roedd Robin wedi sylwi ar Llinos Lewis, tan iddi ddod i'r coleg. Roedd o'n gwybod amdani wrth reswm, fel merch Siop yr Inc, ond rhyw deulu 'sbïwch arnon ni' oedd teulu'r Lewisys. Ddiwrnod eu priodas, cofiai Robin ei dad yn grwgnach y byddai'n rhaid iddo fo lyncu geiriadur er mwyn deall areithiau rhodresgar teulu'r Lewisys yn y neithior! 'Teulu Welsh Nash' oedd y Lewisys. Fyddai gan ei dad ddim oll i'w ddweud wrth y blaid bach. Fyddai gan ei dad ddim oll i'w ddweud dros briodi chwaith. Ond mater o raid fu priodi i Robin a Llinos, a hynny ar frys, cyn i'w bin bara hi besgi'n gromen amlwg.

Er nad oedd Eric Richards yn athronydd o bell ffordd, roedd ganddo ei ddamcaniaethau ei hun am briodi. Ei sylw pig wrth Robin pan ddywedodd o wrth ei dad ei fod am briodi Llinos Lewis oedd mai 'hanfod priodas oedd caru dy wraig dipyn bach llai bob dydd'. Sylw brwnt; ond fel y pasiodd y blynyddoedd gwelodd Robin fod peth gwirionedd yng ngeiriau milain ei dad er na fedrai gyfaddef hynny wrth neb, nac ychwaith iddo fo'i hun yn iawn. Dyn geiriau brwnt fu ei dad erioed ac ofnai Robin ei fod wedi etifeddu'r un nodwedd. Fedrai Eric Richards na'i unig fab ddim llongyfarch neb heb fod yna weiran bigog yn friw ar y ganmoliaeth.

Roedd Robin yn ail-wneud ei flwyddyn olaf pan ddaeth Llinos Lewis i'r coleg. Manteisiodd Robin ar ei swildod a'i hiraeth llethol. Ond gwyddai erbyn heddiw, bron i hanner canrif yn ddiweddarach, mai ci tawel sy'n cnoi. Fodd bynnag, buan iawn yr ymunodd ei Llinos fach â chriw merched eraill y coleg fyddai'n dilyn y band yn ffyddlon i'r gigs i gyd. Byddai yntau'n mwynhau codi ei gwrychyn mor hawdd wrth iddo gyboli â'r merched oedd wedi bod yn siglo'n nwydus o flaen y llwyfan. Trwy gicio a brathu... Erbyn baglu'n ôl i'r neuaddau preswyl byddai wedi llwyddo i ddarbwyllo Llinos mai hi, ac nid y genod eraill parod, roedd o'n ei chwantu. Roedd gwefr mewn helfa. Byddai hithau wedyn yn rhoi'n fwy rhydd ei ffafrau er mwyn ei gadw yntau ar dennyn rhag mynd fel ci strae i chwilio am bwdin gwahanol. Mor hawdd ei ddarllen oedd hi a chymaint difyrrach y dyddiau hynny na chyfrolau llychlyd y llyfrgell. Yn rhyfedd iawn, yr hyn a'i denodd o ati hi gyntaf oedd ei gwên. Aeth y wên honno dros y blynyddoedd yn beth mor brin â'r haul ym Mhont-henfelen. Ond roedd o'n grediniol yr adeg honno y byddai hon yn gwneud gwraig dda a mam hyd yn oed yn well i'w plant nhw maes o law.

Do, dewisodd yn ddoeth. Roedd o'n gwybod hynny heddiw, er gwaetha'r blynyddoedd blin a diflas a'r siomedigaethau enfawr ddaeth i'w rhan. Roedd yna ben draw, fodd bynnag, i faint fedrai dyn ddioddef bod yn gysgod i wraig mor ddawnus. Llwyddodd Robin yn wyrthiol ar hyd y degawdau i guddio'i wir deimladau gan ymuno'n ffug-frwd yng ngorfoledd y dorf wrth i Llinos, dro ar ôl tro, gywain yr holl wobrau llenyddol i'w nyth. Hyn oll tra ymlithrai o fel niwl Tachwedd ymhellach i'r cysgodion. Po fwyaf y cynyddai ei chynnyrch lluosog hi, mwya'n y byd y sychai unrhyw greadigrwydd prin ganddo yntau a hynny'n ei fwyta'n fyw. Roedd llwyddiant yn denu clod a methiant yn denu cydymdeimlad. Doedd ganddo ddim awydd cael cydymdeimlad neb.

Torrwyd ar fyfyrdod ei atgofion gan sŵn y ci yn cyfarth drachefn. Blydi cŵn! Ar hynny, gwelodd gi bach rhech Mair ar waelod yr allt ger y tir corsiog a elwid yn lleol yn Llyn Boddi Babis. Roedd y ci'n dal i stwna yng ngwaelod yr allt heb arwydd o'i berchennog. Y peth olaf roedd o ei angen rŵan oedd ei gweld hi; ond roedd yn well iddo geisio cael y bastad ci yn ôl at Mair na gadael iddo fynd i grwydro i fyny'r llwybr at y tŷ. Cyn ei gweld, clywodd Mair yn udo, 'Ble mae Daniel? Ble mae Daniel?' Byddai Robin wedi bod yn ddigon bodlon ei daflu i ffau'r llewod. Ar hynny, gwelodd Mair yn bustachu'n chwyslyd rownd y tro, y tu hwnt i'r gwair bras, gan geryddu a chofleidio'r llygoden fawr o gi. Roedd ganddi hi fag plastig cachu ci yn pendilio ar ei garddwrn. Daria! Doedd dim modd iddo ddianc. Roedd hi wedi ei weld ac yn chwifio'i breichiau blonegog i ddal ei sylw.

'Fobin! Sut wyt ti? Tyfd yma, Daniel! Sut wyt ti'n cadw, Fob?'

'Fel gweli di...' atebodd Robin yn ddi-ffrwt gan geisio peidio crychu'i drwyn wrth synhwyro'r chwys o dan ei cheseiliau blewog yn dod yn nes. Neu ai oglau cachu Daniel yn y freichled ddu blastig ar ei garddwrn hi oedd achos y drewdod?

'Mynd i'f Post wyt ti? Pam na ddoi di am baned af dy ffof?' meddai hithau'n daer wrth geisio'n aflwyddiannus gadw trefn ar Daniel aflonydd. Pam ddiawl na fasa'i mam hi wedi mynnu iddi gael apwyntiad efo therapydd iaith pan oedd hi'n blentyn? Ond o beth fedrai Robin ei gofio, roedd Maif Mofgan wedi etifeddu'r nam gan Musus Mofgan. Rhyfeddod felly oedd i Musus Mofgan ddewis enw cyntaf i'w hunig-anedig a gynhwysai'r llythyren 'r', a'r un llythyren yn ei chyfenw yn ogystal. Pa mor dwp y gallai pobl fod?

Daria! Roedd hi fel blydi ditectif wedi sylwi ar yr amlen. Doedd o ddim eisiau egluro cynnwys yr amlen wrth Mair o bawb, ac roedd ganddo lai fyth o awydd mynd i'w thŷ efo'r mwngrel oedd yn hewian yn ei breichiau.

'Poeni amdanat ti 'sti. Dwi ddim 'di dy weld ti efs

dyddia. Cymfyd nad wyt ti wedi clywed dim byd wedyn?'
Ysgydwodd Robin ei ben. Weithiau roedd dweud dim
yn haws ac yn fwy effeithiol na geiriau. Byddai'n anodd
gwrthod ei chynnig am baned. Byddai'n rhaid chwarae'r
gêm.

Roedd rhai wythnosau ers iddo fod yn nhŷ
Mair, a hynny wedi iddi hi fynnu ei fod yn mynd
yno 'chydig wythnosau ar ôl y trychineb a phawb ym
Mhont-henfelen mewn sioc. Ond o ddewis, byddai'n
gan mil gwell ganddo orfod mynd i mewn i Dan y Coed
na gadael iddi hi a Daniel ddod fyny i Argoed. Roedd hi
gymaint haws gadael tŷ rhywun arall na phenderfynu
pryd roedd hi'n amser iddynt adael ei gartref ei
hun. Gallai led-ddygymod efo ymwelwyr pe byddai
wirioneddol raid, ond yn sicr nid ymwelwyr â chŵn. Er
ei fod yn casáu cŵn, gwyddai fod ganddynt alluoedd
amgenach na phobl; eu synhwyrau'n gymaint mwy effro,
a'r gwir plaen oedd bod ganddo eu hofn. Roedd Llinos
wedi swnian ar hyd y blynyddoedd am gael ci. Diolch i'r
drefn, am unwaith, bu Robin yn feistr arni gan lwyddo i
roi taw ar ei phlagio di-baid. Cyrhaeddodd adwy Dan y
Coed a thaflodd Mair y bag cachu ci i'r bin.

'Noson bins heno, Fobin?' meddai Mair yn gwestiwn
ac yn ffaith. Cyn iddo fedru meddwl am ateb i sylw mor
ddwl daeth sŵn aflafar i'w achub. Cododd Robin a Mair
eu golygon mewn ymateb i sŵn rhuo llafnau hofrenydd
yr Ambiwlans Awyr yn rhwygo'r awyr.

'Ffiwun afall wedi mafw af y mynydd befyg. Tyfd,

Fobin. Dwi 'di cael *cafetièfe* newydd. Gawn ni'i fedyddio fo. Mae'n siŵf dy fod wedi dfysu'n dal i ddisgwyl newyddion.'

Yr unig beth oedd yn drysu cynlluniau Robin y munud hwnnw oedd hon. Ond fe'i dilynodd ar hyd llwybr gardd fach ddestlus Dan y Coed yn fwy ufudd nag a wnaeth Daniel erioed.

Diolchai Robin yn ddistaw bach wrtho fo'i hun wrth weld mai'r peth cyntaf wnaeth Mair ar ôl cyrraedd y gegin oedd golchi ei dwylo o dan dap y sinc. Doedd wybod faint o hen facteria afiach fu ar ei dwylo tewion hi ar ôl codi carthion Daniel. Ceisiodd Robin rannu brwdfrydedd Mair dros ei pheiriant newydd oedd, yn ôl ei brolio, yn dal deuddeg cwpanaid o goffi. Byddai angen ffowndri go soffistigedig i fod wedi creu'r horwth peiriant 'double wall' dur gloyw. Un fantais i'w alar oedd y gallai gael ei esgusodi weithiau rhag cwrteisi neu ddiffyg diddordeb. Onid oedd ganddo bethau anferthol yn pwyso ar ei feddwl?

I beth oedd ar ddynes ar ei phen ei hun angen *cafetière* oedd yn dal gymaint o gwpanau? Hyd y gwyddai Robin, ni fu gan Mair gymar erioed ar wahân i Daniel ynghyd â beth bynnag oedd enw'r mwngrel oedd ganddi gynt. Pwy fyddai'n gallu dioddef gwrando ar ei nonsens tragwyddol? Bu Mair yn gaeth am flynyddoedd yn gofalu am ei mam oedrannus oedd wedi ffwndro'n lân erbyn ei blynyddoedd olaf. Bendith oedd marwolaeth Musus Mofgan, iddi hi ac i Mair.

Hen ferch oedd Mair. Byddai Llinos wedi ei geryddu am ddefnyddio term mor ddilornus i ddisgrifio dynes ddibriod. Ond dyna ni, roedd Llinos yn perthyn i glwb y Gwleidyddol Gywir. Roedd hi'n gartrefol yng nghwmni'r bobl ryfedda: beirdd, hipis, lefftis, hoywon; a Duw a'n helpo – nid pobl o Drawsfynydd er bod rhai o'r rheiny'n ddigon od, ond pobl traws!

Trodd Robin ei sylw'n ôl at Mair. Doedd gan Robin mo'r syniad lleiaf o'i hoed, ond tybiai ei bod yn iau na'r wedd hynafol oedd arni. Roedd hi wedi symud i Dan y Coed i ofalu am ei mam dros ddegawd ynghynt. Cofiai fel yr arferai bryfocio Llinos y gwnâi Mair bartner iawn iddi hi pe bai hi'n blino arno fo. Ymateb pig Llinos i hynny oedd ei ddwrdio am ragdybio dealltwriaeth o fywyd personol rhywun. Ond doedd ganddi hi, ddim mwy nag yntau'r syniad lleiaf beth oedd rhywioldeb Mair Morgan nac o ble y deuai ei hincwm. Er, wedi dweud hynny, gwyddai Robin fod ganddi o leiaf un tŷ arall ym Mhont-henfelen gan iddo weld tŷ bach teras dwy lofft ar Stryd y Bont ar safle Airbnb yn cael ei hysbysebu am wyth gan punt yr wythnos. Gwyddai mai Mair oedd ei berchennog gan fod ei lun hi fel 'super host' ar dudalen y myrdd Airbnbs eraill yn y pentref. Doedd 'na fawr ddim byd i ddenu fisitors i dwll o le fel Pont-henfelen ar wahân i'r ffaith ei fod o fewn cyrraedd cyfleus i fôr a mynydd. Ond roedd hi'n syndod pa mor llewyrchus oedd busnes yr Airbnbs tra oedd y gostyngiad sydyn yn niferoedd disgyblion yr ysgol gynradd yn fygythiad gwirioneddol i'w bodolaeth hi.

Gwyliodd Robin y ddynes ddi-ryw hon yn selog baratoi'r coffi. Llenwi'r tegell. Pwyso'r botwm. Wrth glywed y dŵr yn hisian yn gresendo gan fyrlymu i'r berw gwelai'r ager yn poeri o wefus y tegell gan chwythu cwmwl ar wydr y cwpwrdd llestri uwchben. Tincial dwy gwpan wrth iddi eu hestyn o'r goeden gwpanau. Clic y tegell yn atsain bod y weithred wedi ei chwblhau. Tywallt y dŵr berw'n ffrwd i grombil y *cafetière* newydd i'w gynhesu cyn arllwys y dŵr i lawr y sinc. Ail-lenwi'r tegell. Berwi'r dŵr drachefn. Ail gwmwl ar y gwydr. Agor paced o goffi organig o Rwanda wrth barablu am bwysigrwydd prynu coffi call. Roedd y diolch am eu paneidiau coffi boreol i dros gant ac ugain o filiynau o bobl ddifreintiedig. Roedd hi'n ddyletswydd ar bawb i gefnogi'r diwydiant hwn yn rhai o wledydd tlotaf y byd, a phrynu cynnyrch Fair Trade oedd y ffordd orau o wneud hynny. Bla bla bla... Egwyddorion crwca. Beth am yr Airbnb?!

Beth bynnag oedd tynged anffodusion Rwanda, roedd Mair a'i chafetière deuddeg cwpan yn eu cadw mewn busnes, meddyliodd Robin, heb diwnio i mewn i'w thantro. Tybiai fod Mair yn un o'r bobl yna fyddai ofn tawelwch. Roedd yn rhaid iddi lenwi unrhyw saib â sŵn. Tybed oedd tawelwch yn rhywbeth oedd yn codi ofn arni hi? I Robin, bendith oedd tawelwch. Ond gwnâi'r Tinnitus yn siŵr mai prin iawn oedd ei brofiad o dawelwch llwyr.

Gwyliodd hi'n mesur tair llwyaid o'r gronynnau coffi i'r lletwad fach blastig cyn eu gollwng yn ofalus i'r *cafetière*. Aros i'r dŵr berw setlo. Tywallt y dŵr eilwaith i'r *cafetière*. Caead arno. Tynnodd ei ffôn bach o boced ei sgert gan egluro iddo ei bod yn gosod rhybudd amser gan ychwanegu'n nawddoglyd, fel pe bai hi'n rhoi gwers wyddonol i ddisgybl twp, bod angen i'r coffi fwydo am dri munud cyn ei aflonyddu. Lledodd golau'r oergell yn driongl llachar ar y llawr llechi oedd wedi ei fritho â blew ci. Estynnodd garton llefrith cyn gadael i ddrws yr oergell siffrwd cau. Daeth â'r cwpanau, y jwg llefrith a'r bowlen siwgr Portmeirion at y bwrdd. Oglau'r chwys yn ei daro eto. Grasusa! Gwich y ffôn bach o'r diwedd yn torri ar draws y ddefod syrffedus. Rhoi'r ffôn yn ôl yn ei phoced. Gwasgu'r ordd fach gyda nerth dwy fraich grynedig i waelod y peiriant newydd.

Doedd Robin ddim yn sgut am goffi. Roedd ei oglau bob amser gymaint gwell na'i flas. Darllenodd yn rhywle'r honiad fod gormod o goffi'n dwysáu rhai achosion o Tinnitus. P'run bynnag, roedd yn well ganddo de; te tramp y gellid ei baratoi o fewn dau funud yn hytrach na'r rigmarôl gwirion yma. Onid oedd ganddi hi bethau gwell i'w gwneud? Gwyddai fod ganddo fo bethau llawer amgenach i lenwi ei amser. Byddai'n well ganddo lyncu gwenwyn y munud hwnnw nag eistedd wrth fwrdd cegin Mair a'i liain oelcloth patrwm carthen Gymreig.

Roedd y gegin yn drysorfa i bopeth Cymreig a Chymraeg; poster mewn ffrâm wen: 'Does unman yn debyg i Gartref'; llun cyfoes o fenywod Cymreig gwrachaidd yr olwg; y cwpanau'n nodi 'panad' arnynt; y jwg llefrith yn nodi 'llaeth' arno, a hyd yn oed y bin bara â'r gair 'Bara' arno. Yr hyn oedd yn ddirgelwch i Robin oedd y llwy garu ar y wal. Go brin fod neb wedi ei rhoi'n anrheg iddi hi.

Roedd sawl un o'r nwyddau Cymreig yng nghegin Mair wedi'i brynu yn Siop yr Inc. Doedd dim posib gwneud bywoliaeth fras o fewn y byd cyhoeddi trwy gyfrwng y Gymraeg. Gwyddai Robin hynny gystal â neb. Doedd Llinos ddim wedi cymeradwyo ei benderfyniad i ddechrau gwerthu nwyddau. Siop lyfrau oedd Siop yr Inc, nid siop clustogau a chwpanau a geriach o'r fath. Byddai mam Llinos yn troi yn ei bedd o weld nad oedd yr un llyfr yn harddu ffenest y siop a sefydlodd ym Mhont-henfelen drigain mlynedd ynghynt; cyfnod pan fyddai trigolion y pentref yn tyrru yno i gael eu copïau o nofelau Islwyn Ffowc Elis, i brynu'r *Faner*, *Barn* a'r *Cymro*. Roedd hyd yn oed dipyn o fynd ar gylchgronau fel *Hon* bryd hynny! Ac wedyn daeth *Pais*! Jôc o gylchgrawn oedd hwnnw yn nhyb tad Robin. Ac i beth oedd angen i Alaw Lewis fod yn rhedeg siop? A hithau'n wraig i Dr Llŷr Lewis, doedden nhw ddim yn dlawd. Prin iawn fyddai'r gwragedd, ac yn arbennig y mamau ifainc, fyddai'n gweithio ddiwedd y pumdegau a dechrau'r chwedegau os nad oedd rhaid. Lle'r ferch oedd yn y cartref yn tendio ar ei gŵr. Barclod oedd gwraig i'w wisgo, nid siwt waith. Wedi dweud hynny, bodlonodd Eric Richards i'w wraig weithio'n rhan amser ar y sembli lein yn Berrantis wrth i'r galw gynyddu am gydrannau ar gyfer setiau telifision adeg y Coroni. Ond gosododd Eric un amod pendant, ei bod hi adre mewn pryd i weini swper iddo fo a bod Nain, fyddai'n gwarchod y babi, wedi mynd adre cyn iddo gyrraedd o'i waith yn stesion Pont-henfelen.

'Y babi' fyddai Eric yn galw ei fab, hyd yn oed ar ôl i Robin dyfu'n ddyn. Eric Richards oedd meistr Anwylfa; doedd dim cwestiwn am hynny. Gresynai Robin na allai o ddweud yr un peth amdano fo'i hun yn Argoed. Roedd ei dad, er gwaethaf ei dempar, yn go agos at ei le mewn sawl peth, ac yn enwedig ar gownt merched. Ond fiw i Robin fod wedi ailadrodd barn ei dad am le'r ferch o fewn cymdeithas o flaen Llinos. Byddai hynny wedi gwahodd rhaeadr o'i phregethau ffeministaidd eithafol; hynny neu orfod dioddef ei distawrwydd dagreuol.

Bid a fo am hynny, daeth Siop yr Inc â chryn sylw i Robin, nid yn unig fel gwerthwr ond fel cyn-swyddog gyda Chyngor Celfyddydau Cymru. Er bod achos ei ddiswyddo wedi bod yn destun embaras enfawr iddo, roedd Robin yn dal yn hynod falch o'i record yn y swydd honno. Doedd o ddim am adael i'r hoeden fach ddigywilydd honno o'r adran gyllid ddifetha ei CV trawiadol o. A ph'run bynnag, pwy mewn difrif calon fyddai eisiau aflonyddu'n rhywiol ar ferch mor blaen â hi? Fe ddylai'r ast fod yn ddiolchgar! Ond yr hyn a'i cythruddodd ryw flwyddyn wedi iddo adael y swydd oedd iddi hi o bawb gael dyrchafiad i fod yn bennaeth ar ei hadran. Teimlai iddo fod yn un o ddioddefwyr y 'power grab' bondigrybwyll yma gan fenywod yr oes. Doedd o ddim am adael i unrhyw ddynes gerdded drosto fo fel'na eto.

Chwarae teg, mi gadwodd y Cyngor yn ddistaw am achos ei ddiswyddiad a thybiai Robin fod hynny oherwydd bod y Cadeirydd yn gwerthfawrogi'r holl waith a wnaeth yn ystod ei gyfnod yn y swydd. Do, fe wnaeth gyfraniad sylweddol pan oedd o yn rhan o'r Cyngor. Fo fu'n rhannol gyfrifol am gydlynu'r comisiwn i adeiladu un o ganolfannau celfyddydol mwyaf trawiadol Cymru; adeilad oedd erbyn hyn, rai blynyddoedd yn ddiweddarach, yn brwydro i gadw'i ben uwch y dŵr, fel pob sefydliad celfyddydol arall. Roedd hynny'n peri chwithdod iddo, yn enwedig â'i enw ar lechen wrth ddrysau tro'r adeilad i gofnodi iddo fod yn rhan o'r agoriad swyddogol rai blynyddoedd ynghynt. Nid ei fai o oedd o nad oedd pobl yn fodlon codi o'u tai fin nos i weld eu bywydau tila'n cael eu hadlewyrchu mewn gosodiadau artistig a digwyddiadau celfyddydol astrus eraill. Pwy mewn difri calon fyddai'n fodlon talu crocbris am sedd mewn theatr rodresgar yn gwylio actorion dienaid yn craffu ar eu botwm bol eu hunain? Roedd y celfyddydau wedi troi'n llawer rhy fewnsyllgar, llawer rhy amherthnasol. Ni chredai Robin fod safon y cyfarwyddwyr a'r rhaglenwyr artistig diweddar yn ysbrydoli fawr neb chwaith. Merched oedd y rhan fwyaf ohonyn nhw erbyn hyn, ysywaeth.

Doedd hi ddim yn chwith iawn gan Robin orfod gadael biwrocratiaeth ei swydd ddiddiolch o fewn y

Cyngor. Arweiniodd ei ddiswyddiad at fwy o sylw iddo fel pyndit, fel adolygydd bach amlwg, ac yn fwy diweddar fel awdur ysgrifau coffa i Gymry adnabyddus. Bu'n ddewis amlwg fel beirniad Llyfr y Flwyddyn, ar wahân i'r adegau cyson hynny y byddai un o gyfrolau Llinos ar y rhestr. Na, roedd lle i'r Gymraeg, siŵr iawn. Ond roedd rheswm i bopeth yn eno'r tad.

Daeth y chwys yn ôl at y bwrdd a thywallt y triog du o goffi Rwanda i'r cwpanau 'panad' bach gwynion. 'Sut wyt ti'n dygymod, Fobin bach?'

'Dwi'n cymryd un diwrnod ar y tro. Dwi'n gorfod derbyn, Mair. Derbyn na ddaw hi ddim yn ôl.' Ond roedd Mair fel tôn gron.

'Dwi'n dal methu cfedu. Ef yf holl wythnosau. A 'sti be, Fobin, wyddwn i ddim ei bod hi'n gweithio efo'f ffotogfaffydd 'na. Soniodd hi 'fioed wffa i.'

'Doedd hi ddim yn gweithio efo hi, Mair. Mynd i'w chyfarfod hi roedd hi. Roedd Llinos wedi gwirioni efo'i gwaith hi mewn arddangosfa yn Llundain rai misoedd ynghynt. Roedd ganddi syniadau am brosiect amlgyfrwng. Ti'n gwybod sut oedd hi. Byrlymu efo syniadau am brosiectau newydd.'

Gwenodd Mair wên fach gydymdeimladol lawn tosturi. Roedd Robin wedi hen arfer â'r ymateb hwnnw bellach. Dyna'r ymateb cyffredinol gan bobl na wyddent yn iawn beth oedd yn briodol i'w ddweud dan amgylchiadau mor eithafol. Er casáu'r tosturi, roedd hi'n haws gan Robin ddygymod â hynny na chwestiynau ansensitif di-baid. Pam na allai pobl feindio'u busnes eu hunain a gadael iddo ddechrau byw unwaith yn rhagor? Ond na, doedd hi ddim am roi'r gorau iddi hi. Ymlaen â hi fel rygarŷg.

'Closhyf. Caead af y cyfan, ynte, Fobin. 'Sa hynny'n well na hyn. Mae'f peidio gwybod yn lladdfa.'

Penderfynodd Robin droi tu min. Fedrai o ddim dioddef mwy o hyn. Arglwydd mawr, roedd 'na gwpl o fisoedd ers y trychineb bellach. Gosododd ei gwpan yn gadarn ar y bwrdd ac edrych i fyw llygaid llaith Mair.

'Gwranda, Mair. Dwi wedi derbyn. Dwi wedi rhoi caead ar y cyfan. Mae hi wedi marw. Ddaeth 'na neb o'r lloriau uchel allan yn fyw. Roedd hi ar yr ugeinfed llawr er mwyn Duw! Os ydw i'n gallu derbyn, yna dwi'n erfyn arnat ti. Mae'n rhaid i titha dderbyn.'

Sychodd Mair lifeiriant gwlyb ei thrwyn bach coch yn wyneb Syr Wynff ap Concord y bos ar liain sychu llestri 'Raslas Bach a Mawr' a cheisio ymwroli.

'Gwbod, Fobin. Ond mae mof anodd. Am ffof i fafw. Dwi'n gwbod nad oedden ni'n gneud fawf ddim efo'n gilydd. Fo'dd hi mof afbennig, mof bfysuf, mof ddiwyd yn mynd o un lle i'f llall yn hyfwyddo'i gwaith. Gwaith mof, mof afbennig. Ond fo'n i wff fy modd ein bod ni'n gymdogion, wff fy modd yn cael dweud wff bobl mai fi oedd yn byw yn y tŷ 'gosa at y Doctof Llinos Ffisiaft. Dwi'n gweld ei cholli hi.'

'Dydi'r ffaith 'mod i wedi derbyn ei bod hi wedi mynd ddim yn golygu nad ydw inna'n gweld ei cholli hi, Mair.'

Roedd mymryn o ddur yn ei lais a synhwyrodd Mair hynny.

'O Fobin bach! Madda i mi. Meddwl amdanaf fi fy hun. Heb ystyfied yf hunlle fw ti'n mynd dfwyddo fo.'

Gallai Robin faddau'r 'Fobin bach' nawddoglyd gan y tybiai o'r diwedd ei fod wedi llwyddo i gau ei cheg hi ar fater trasiedi Llinos, ac ychwanegodd fel atodyn i'r sgwrs,

'Mae 'na lawer fel fi wedi colli rhai sy'n annwyl.'

'Wyt ti mewn cysylltiad efo ffai ohonyn nhw?' Doedd dim diwedd i'r holi. Roedd ei fudandod byddarol yn arwydd iddi hi. Gosododd gledrau ei dwylo bach tew yn fflat ar y bwrdd gan ddweud yn bwyllog,

'Mae'n ddfwg gen i, Fobin. Dydi o ddim busnes i mi. Petha bach. Mond gobeithio dy fod yn cael cysuf o siafad efo nhw i gyd.'

'Ydw. Dim ond ni sy'n gwybod beth ydi o, i golli rhywun fel'na, yn y ffordd yna. Y cyfan fedrwn ni neud ydi ceisio derbyn a pheidio chwerwi a dyna'r oll dwi'n neud ar hyn o bryd.'

'Fodd gollwng y colomennod af y safle yn fwbath mof neis i neud i gofio amdanyn nhw, yn doedd.'

Gorffennodd Robin ei goffi chwerw a chydio yn yr amlen fawr wen. Roedd o angen dal y post cyn iddo gau dros ginio. Llwyddodd i osgoi'r demtasiwn i roi cic slei i Daniel oedd yn gorff o dan ei gadair gan roi mwythau smal iddo yn lle hynny. Esgusododd ei hun gan ddiolch i'r nefoedd yn ddistaw bach na ofynnodd Mair am gynnwys yr amlen, a diolchodd yn uchel iddi am y coffi.

Cythrodd Mair yn heglog at y cwpwrdd ac estyn bag o goffi i'w roi iddo gan ddweud wrtho ei fod yn 'un o fil'. Edrychodd Robin arni gyda pheth tosturi. Roedd gan y rhan fwyaf o fenywod, hyd yn oed rhai tewion, ryw siâp, rhyw amlinelliad benywaidd i'w cyrff. Ond doedd gan hon ddim. Dim ond un gasgen fawr flêr oedd ar ben popeth yn drewi. Gwrthododd Robin y rhodd yn gwrtais gan egluro nad oedd ganddo gafetière. Cododd a gadael awyrgylch llethol Dan y Coed.

Suddodd ei galon. Roedd neidr o drigolion llwm Pont-henfelen yn cordeddu'n rhes wenwynig o ddrws y Co-op at gownter y Post. Byddai wedi gallu osgoi'r holl boblach oni bai am y blydi 'coffi call' ddiawl. Gallai deimlo'u hanesmwythyd wrth iddynt sylwi arno. Estynnodd sawl un ohonynt eu ffonau bach gan smalio derbyn neges neu drydariad o bwys er mwyn osgoi cyswllt llygad. Pawb yn brysur iawn yn smalio'u bod yn brysur iawn.

Roedd wynebu pobl y pentref yn y Swyddfa Bost yn gallu bod yn fwrn arno ar wahân i'r adegau pan fyddai Sharon Siop yn dod ato. Roedd bendith i bob clwyf. Chwa o awyr iach mewn pentref mor ddiddim oedd Sharon. Breuddwydiai'n aml am ei dadwisgo. A fyddai o'n gallu perfformio, tybed? A fyddai ots? Oni fyddai ei brofedigaeth yn fodd i esgusodi unrhyw ddiffyg ar ei ran? Ond doedd dim golwg o Sharon bore 'ma.

Doedd gan Robin ddim pwt o awydd siarad efo neb. Byddai'n well ganddo weithiau fod yn anweledig, er mai crefu sylw a statws a wnaeth o erioed. Wedi dweud hynny, byddai'n cael ei demtio weithiau, mewn ciw distaw, di-fflach fel hwn, i neidio allan o'i fasg o swildod ac efelychu golygfa'r ganolfan waith yn y ffilm *Full Monty*! Beth ddywedai pobl pe gwnâi hynny!

Cofiai iddo fo a Llinos, ryw ugain mlynedd yn ôl, fynd i'r pictiwrs efo John a Delyth, gwraig John ar y pryd. Er i Llinos fwynhau'r ffilm, datblygodd coblyn o ffrae rhyngddynt dros bryd o gyrri ddiwedd nos yn y Bengal Spice. Fedrai o ddim cofio union darddiad y ffrae. Roedd o'n rhywbeth i'w wneud efo Llinos yn rhygnu 'mlaen fod y ffilm yn enghraifft o lên-ladrad o ddrama sgwennwyd yn wreiddiol gan ddau ddramodydd o Seland Newydd. Dadleuodd Robin y noson honno fod pob creadigaeth yn cynnwys elfen o lên-ladrad, bod gwreiddioldeb llwyr wedi marw ers tro. Tolciodd Llinos ei sylw a'i ego, drwy nodi efallai nad oedd gwreiddioldeb yn ei ffurf buraf yn bodoli, a bod posib i greadigrwydd ddeillio o ddylanwadau gan eraill. Mater arall oedd dwyn gwaith. Brifodd hynny Robin ac yntau'n credu iddo daro ar ddadl go sownd. Teimlai'n dipyn o foi wrth iddo ddyfynnu Emile Zola, 'Good artists copy, great artists steal', tan i Llinos ei gywiro drwy ddweud mai geiriau Picasso oeddynt a bod y wireb wedi fflatio braidd erbyn hyn. Parhaodd â'i gwrthymosodiad drwy nodi fod sylw Robin yn fath ar lên-ladrad, nad ei eiriau o oedd y rheiny. Oni allai feddwl am ddadl neu sylw gwreiddiol?

Roedd Robin yn casáu'r ffordd y gallai ei guro a'i ddilorni mor hawdd gyda'i hawdurdod di-sigl, a hynny o flaen John BigEnd, ei ffrind gorau. Gyda hyder sawl potel o Cobra'n ei gymell i geisio gorchfygu ei wraig hollwybodus, ymosododd Robin drachefn gan awgrymu bod ei gwaith llenyddol hithau'n pwyso'n drwm ar waith pobl eraill. Onid oedd *Brân*, ei nofel gyntaf hi'n barodi neu'n *pastiche* o'r Mabinogi? Dirmygodd Llinos o drwy ddweud bod *pastiche* yn arddull lenyddol. Roedd llên-ladrad yn dra gwahanol, yn rhywbeth difrifol. Fyddai rhywun ddim yn dwyn car, felly pam dwyn geiriau neu syniadau rhywun arall? Roedd hi'n bwysig cael gwybodaeth yn ogystal â barn. Cyhuddodd Robin hi o fod yn snob ac yn bedantig; mynnodd fod pob artist yn cychwyn ei daith artistig drwy efelychu. Trawodd Llinos yn ôl gyda'r fwled angheuol nad poli parot oedd artist; nad oedd fawr o fedrusrwydd mewn copïo nac ychwaith 'run owns o ddychymyg. Roedd y meistri, y gwir artistiaid, wedi gadael y camau cyntaf o gopïo ers blynyddoedd.

Diflasodd Robin ar y frwydr eiriol rhyngddynt. Llinos fyddai'n mynnu'r gair olaf bob tro. Oedd rhaid troi noson o fwynhad yn ddadansoddiad diflas eto fyth? Onid ellid mynd allan am noson heb iddi orfod profi i'r byd a'r betws pa mor ddiawledig o glyfar oedd hi? Canolbwyntiodd John a Delyth yn fud gydwybodol ar gynnwys poeth eu platiau'n ystod ymryson geiriol rhewllyd eu ffrindiau.

Ffromodd Llinos. Bu'r daith yn ôl i Bont-henfelen yn y tacsi'r noson honno'n arteithiol o ddistaw. Ar ôl cyrraedd adref fe'i cyhuddodd yn orffwyll ddagreuol o'i bychanu hi o flaen ei ffrindiau. Fedrai Robin ddim credu. Waw! Y *fo'n* ei bychanu *hi*? Am jôc! Aeth Robin i gysgu i'r llofft gefn y noson honno. Hyn a hyn o sgorio pwyntiau academaidd fedrai rhywun ei ddioddef. Cafodd bryd o dafod gan John maes o law hefyd am adael i Llinos ei fychanu yn y fath fodd. Oedd hi ar ei pheriods 'ta jest yn ast flin? Arferai Robin feddwl bod daliadau ei ffrind am y ffeminazis braidd yn eithafol, ond erbyn hyn roedd o'n cytuno gant y cant efo fo. Erledigaeth ydi ffeministiaeth i elyniaethu dynion.

Edrychodd Robin eto ar res lonydd y Swyddfa Bost. Roedd pwy bynnag oedd wrth y cownter yn sgwrsio efo Plej yn hunanol hamddenol a dweud y lleiaf. Pwy feddyliai pan oedden nhw yn yr ysgol y byddai Plej yn gynghorydd ac yn rhedeg Post Pont-henfelen a'r Co-op? Roedd Plej wedi ei weld, ond doedd dim disgwyl iddo wneud ffŷs ohono fo. Gwyddai Robin ei fod yn cofio dyddiau'r ysgol gynradd gystal ag yntau. Robin fyddai'n arwain y gang i'w boenydio ar fuarth yr ysgol. Robin fyddai'r cyntaf i'w bryfocio'n ddidrugaredd am i'w fam roi brechdanau sbinaitsh iddo ar bapur doili efo'i becyn bwyd. Nid Plej oedd ei lysenw'r adeg honno ond 'Billy Two Rivers', am fod 'na ddwy ffrwd o bys slwtsh gwyrdd yn ffyddlon hongian o ffroenau'r hogyn bach diniwed o ben bore hyd at ddiwedd pnawn.

Synhwyrai Robin fod ambell un arall yn y Post wedi smalio peidio â'i weld. Synnai sut y parhâi pobl i deimlo'n chwithig, yn betrus wrth ei weld. Roedd

llawer yn tosturio wrtho, rhai yn ei edmygu ac eraill
yn ddiolchgar am iddo roi enw'r *cul-de-sac* o bentref ar
y map yn sgil y trychineb. Trawsnewidiwyd y pafin o
flaen Siop yr Inc yn hafan i giwed o newyddiadurwyr
ymwthgar ynghyd â chawodydd o gamerâu.

Dechreuodd Robin syrffedu ar y ciwio gan geisio
peidio ag edrych ar y myrdd cyfrolau cyfarwydd ar y
silff wrth y papurau newydd. Roedd Sharon wedi gofyn
iddo, rai wythnosau ar ôl y trychineb, a fyddai ganddo
wrthwynebiad iddi werthu rhai o gyfrolau Llinos yn y
siop, rŵan fod Siop yr Inc wedi cau. Y peth olaf oedd
Robin eisiau ei wneud oedd wynebu cwsmeriaid y siop
lyfrau ar ôl y trychineb, a phe bai o'n onest, roedd busnes
wedi bod yn llwm ers peth amser. Ar wahân i ambell
archeb gan ysgol leol – ac roedd yr ysgolion bychain
hynny i gyd mewn peryg cynyddol o gau – roedd Robin
yn lwcus i weld hanner dwsin o bobl yn camu dros
drothwy'r drws o un pen diwrnod i'r llall. Dod i hel clecs
fyddai'r rhan fwyaf ohonynt heb fwriad o fath yn y byd i
brynu dim. Yn amlach na heb, byddai'r siop yn dawelach
na llyfrgell a hynny'n tanlinellu clychau'r Tinnitus yng
nghlustiau Robin.

Bu'r drychineb yn falm mewn sawl ffordd a bu'n
dipyn o ysgafnhad iddo'n ddistaw bach i gael esgus i roi'r
gorau i'r fenter; i beidio gorfod smalio cymryd diddordeb
yn straeon y stryd a chlecian plwyfol y cwsmeriaid
tafotrydd. Roedd yn falch iawn o fod wedi rhoi'r gorau
i'w bwt colofn fisol ym mhapur bro'r Bont hefyd. Fu

gan neb fawr o ddiddordeb yn ei golofn. Gwyddai y byddai'n llawer gwell ganddynt ddarllen gwaith Llinos. Ond roedd hi wedi gorfod rhoi'r gorau iddi hi oherwydd trymder a thoreth ei gwaith cyhoeddi, ei gweithdai ysgrifennu creadigol ynghyd â'r amryfal wahoddiadau i annerch gwahanol gymdeithasau a cholegau.

Ymateb digon llugoer gafodd o rai blynyddoedd ynghynt gan y golygydd wrth iddo gynnig ei fod o'n cymryd yr awenau i ysgrifennu colofn y papur bro yn lle ei wraig. Phrotestiodd Llion ddim wrth i Robin egluro, yn sgil y trychineb, nad oedd ganddo'r galon i barhau i ysgrifennu ar gyfer y rhacsyn papur bellach. Gwyddai Robin nad oedd Llion, cwsmer ffyddlonaf Siop yr Inc, yn cymeradwyo ei benderfyniad i gau'r siop chwaith. Byddai Llion y Llyfrbryf ar goll heb y siop. Arferai ddod yno fel ceiliog dandi ryw ben bob wythnos. Deuai'n gyson i hawlio'i gopi o *Barn* a byddai yno ar ei union 'munud y clywai fod rhywun lleol wedi marw. Gwyddai Llion, o graffu ar golofnau'r *obits*, y byddai Robin wedi cythru i gartref yr ymadawedig i gydymdeimlo'n ddwys a chynnig gwagio'r tŷ o lyfrau ar gyfer silffoedd 'O Law I Law' Siop yr Inc.

Llion Huws oedd yr unig un a welodd Robin erioed a fedrai ymddangos yn rhodresgar mewn sgwter i'r anabl. Byddai'r llyfrbryf halitosig â'i sgwter yn Siop yr Inc yn rhwystr i bawb fedru symud o un pen i'r siop i'r llall. Porai yn y cyfrolau i weld a oedd yna unrhyw argraffiadau cyntaf prin, neu lofnod diddorol o fewn cloriau'r llyfrau ail-law. Credai Llion, fel Llinos, fod llofnod awdur, neu argraffiad cyntaf o gyfrol nodedig, fel cael perthynas unigryw â'r awdur. Cofiai Robin fel y byddai Llinos yn mynnu, yn ei ffordd fach chwydlyd o wylaidd, nad y sawl ysgrifennodd y llyfr oedd yn bwysig, ond yn hytrach y sawl oedd yn ei ddarllen.

Byddai Llion yn cydio mewn hen gyfrol ac iddi lofnod y tu fewn i'w chlawr fel rhyw fath o wobr gysur i'w fywyd bach di-nod. Gafaelai ynddi'n union fel pe buasai Robin yn canfod potel o win coch *vintage* mewn seler. Â'i big yn yr hen gyfrolau, canfu unwaith gyfrol ar silffoedd 'O Law I Law' Siop yr Inc, *The Story of France 1814–1914* gan Beaumont James. Yno, rhwng ei chloriau, o dan lun a dynnwyd ar long frenhinol y *Standart* yng Ngorffennaf 1914 o Tsar Rwsia a'r Arlywydd Poincaré, roedd darn yn Gymraeg wedi ei ysgrifennu mewn inc: 'Prynnais hwn yn Arras 1918, cyn ymosodiad mawr Mawrth 26ain. Cledwyn Edwards.'

Er na wyddai Llion na Robin pwy oedd Cledwyn Edwards, roedd Llion ar ben ei ddigon. Oni bai ei fod yn gaeth i'w sgwter, byddai wedi neidio ohono a dawnsio mewn gorfoledd yn y siop. Cofiai hefyd amdano'n gwirioni'n lân wrth iddo ganfod copi o gyfrol T.H. Parry-Williams, *O'r Pedwar Gwynt*. Yn ogystal ag ôl gwaelod cwpan ar ei chlawr, roedd ynddi hefyd nodiadau mewn inc ar bob tudalen, a hynny yn Saesneg! Y tu mewn i'w chlawr roedd y nodiadau canlynol:

New formations

p.30:   ymhinsoddi. Acclimatise

" " :   N.B. Use of jest (with j) "jest ddigon o amser i ymhinsoddi"

N.B. jest (Eng. Just) is not found in any W. dictionary up to June 21st 1944.

" " :   synfawr is new (to me)

p.31:   Rhifolion = numbers. Melville Richards also uses the adj. rhifol but neither word is found in Anwyl.

Ar dudalen ysgrif 'Y Gwyndy', roedd perchennog gwreiddiol y gyfrol wedi nodi:

Tom Parry gave a description of this "tyddyn" and its occupants on the Radio 5 o' clock Wed. July 5.'44. He lived there as a boy for 5 years.

Chwarddodd Llion yn uchel wrth weld y nodiadau wrth ymadroddion fel *dim iws, sorri'n bwt* a *hyrdi-gyrdi* yn nodi:

Very tafodieithol.

Nid oedd Robin yn deall brwdfrydedd Llion dros nodiadau'r gyfrol. Onid oedd Musus Edwards Welsh wedi eu siarsio yn Ysgol y Sir i beidio byth â sgwennu mewn inc ar dudalenau unrhyw gyfrol, nac ychwaith i blygu tudalen? Byddai hi wedi hurtio'n bost pe bai hi wedi gweld ôl cwpan ar glawr unrhyw lyfr. Amharchu llyfrau fyddai hynny.

Ceisiodd Llion, ar sawl achlysur, egluro i Robin mai rhan o swyn casglu llyfrau ail-law iddo oedd y syniad o barhad. Smaliodd Robin ddeall ei ddiléit. Ond gwyddai nad oedd Llion yn hoff iawn ohono. Gwyddai hefyd ei fod wedi ffoli ar Llinos. I Llion, roedd Llinos yn drysor cenedlaethol. Oedd Llion yn genfigennus ohono, tybed?

Doedd Robin yn hiraethu dim am Siop yr Inc. Yr unig chwithdod iddo oedd nad oedd ganddo esgus bellach i wylio merched y pentref drwy ffenest ei siop yn mynd am eu hapwyntiadau i'r Parlwr Pincio. Rhyfeddai nad oedd y rhan fwyaf o'r merched âi yno am eu triniaethau harddwch yn dod oddi yno'n edrych dim delach na phan aethant i mewn. Roedd arian i'w wneud o gamarwain merched hygoelus i wario eu ceiniogau prin yn eu hymgais bathetig barhaus i gadw gafael ar ieuenctid; i annog arafu cloc henaint a'i rychau salw a'i flewiach diangen.

Doedd gan Robin ddim gronyn o wrthwynebiad i Sharon werthu cyfrolau Llinos. Caniataodd iddi fynd â'r bocseidiau cyfrolau o Siop yr Inc draw i'r Co-op. Pwy mewn difrif calon fedrai wrthod Sharon! A'r gwir oedd, fel rhyw fath o ysgutor i lenyddiaeth Llinos, roedd o, fel aderyn ysglyfaethus, yn debygol o elwa'n o lew o'r ailargraffu a'r cynnydd sylweddol yng ngwerthiant ei chyfrolau. Gwir dweud bod ei marwolaeth hi wedi chwistrellu egni rhyfeddol i'w gyrfa ac yn sgil hynny i'w yrfa a'i statws yntau. 'Munud roedd rhywun yn marw, roedden nhw hefyd yn troi'n ffuglen.

Roedd y broses eisoes wedi dechrau ar gyfieithu ei chyfrol straeon byrion gyntaf, *Adenydd*, a hynny, ar y cownt diwethaf, i o leiaf bum iaith. Yr hyn oedd wedi dal sylw nifer o'r beirniaid, yr adolygwyr a'r gwybodusion oedd bod un o'r straeon hynny, a ysgrifennwyd ganddi dros ddeng mlynedd ar hugain yn ôl bellach, yn eironig o broffwydol heddiw. Roedd 'Tân' yn adrodd hanes teulu o ffoaduriaid yn byw mewn twr uchel oedd yn gartref i gannoedd o dlodion dinas ddychmygol y stori. Lladdwyd trigolion y twr mewn tân a ledodd fel roced drwy'r adeilad gan adael sgerbwd o ddraig ddu yn chwythu mwg dros weddill y ddinas am ddyddiau wedyn. Canlyniad y tân oedd chwyldro ffyrnig yn y ddinas ac anhrefn llwyr wrth i'r merched ddioddef trais gan y dynion heb i neb droi blewyn. Sigwyd y ddinas a'i thrigolion dan bwysau'r rhyfel cartref. Dadansoddwyd 'Tân', ei stori fer ddystopaidd, hyd at syrffed yn ystod y misoedd diwethaf gan godi Llinos i bedestal uwch nag awdur a beirniad llenyddol o bwys. Roedd iddi bellach statws proffwyd.

Syrffedodd Robin ar yr aros. Digon oedd digon. Roedd gas ganddo giwio. Trodd ei gefn ar y rhes ddienaid, a ph'run bynnag, roedd rhywbeth am gynnwys yr amlen yn ei bigo. Doedd dim brys mawr i'w anfon. Doedd y dyddiad cau ddim am rai wythnosau. Roedd o'n benderfynol o wirio pob paragraff, pob brawddeg, pob gair, pob atalnod. Roedd o'n fodlon gyda'r gwaith, er nad oedd y testun wedi ei lenwi â brwdfrydedd. Diolch i Llinos, daeth gwaredigaeth ac roedd o'n grediniol bod ganddo'r tro hwn waith fyddai'n creu argraff ar y beirniaid. Ond braidd yn frysiog fuodd o'n copïo'r drafft olaf. Fe edrychai dros y gwaith unwaith eto heno. Unwaith yn rhagor i wneud yn siŵr. Gallai wedyn ganolbwyntio'n llwyr ar gael trefn ar ei hunangofiant.

Roedd meddwl am ei hunangofiant yn rhoi boddhad mawr iddo, hyd yn oed yn ei gyffroi. Yn dawel fach fe wyddai Robin nad oedd o'r person roedd o wedi gobeithio bod. Ond câi ddweud a fynnai yn ei hunangofiant ei hun; y gau a'r gwir. Y gwir oedd bod y gwirionedd amdano fo ac am Llinos yn llawer mwy anghredadwy nag unrhyw straeon dychmygol y gallai eu creu. Ond fyddai neb ddim callach. 'Nes na'r hanesydd...' Bla bla bla... Onid swyddogaeth hunangofiannydd oedd ei roi ei hun mewn golau gwell o fewn cloriau cyfrol nag a gafodd o mewn bywyd go iawn? Fe wnâi'n siŵr y byddai sôn yma ac acw o fewn y gyfrol am ei gyfraniad nodedig i'r celfyddydau yng Nghymru. Byddai hynny'n rhoi pìn bach yn swigen ego chwyddedig rhai o swyddogion uwch Cyngor y Celfyddydau na wnaethant erioed werthfawrogi ei gyfraniad yn iawn, heb sôn am yr ast a'i hoerni rhywiol a fu'n gyfrifol am ei gwymp. Câi Robin ddangos iddyn nhw i gyd!

Gwyddai Robin fod ganddo'r ddawn o fod yn gynnil gyda'r gwirionedd. Na, chwarae teg, fe wnâi ymdrech i ddweud y gwir yn ei hunangofiant ei hun. Ond pa wirionedd, tybed? A sut ddarlun fyddai'n ei roi o'i rieni? Storm o ddyn oedd Eric Richards, doedd dim amheuaeth am hynny. A ddylai Robin hepgor ymddygiad treisgar ei dad at ei fam ac yntau? Neu a ddylai ddarlunio Eric Richards yn union fel ag yr oedd o – y bwli mawr aflednais? Fe allai hynny ennyn cydymdeimlad gan y darllenwyr.

Fe hoffai Robin dalu teyrnged i'w fam yn ei hunangofiant, er mai niwlog iawn oedd ei atgofion amdani. Twrch daear o wraig oedd hi. Ar wahân i bicio i'r siopau oedd yn britho prif stryd Pont-henfelen ddiwedd y pumdegau, a hynny fel arfer ar ddydd Iau, sef y diwrnod traddodiadol i wneud neges, prin iawn y deuai ei fam o'r tŷ. A phan wnâi hi ei siopa, neu wrth iddi hi hebrwng Robin i ysgol Sul Horeb, rhedeg yn fân ac yn fuan fyddai hi, fel pe bai hi'n ceisio osgoi tynnu sgwrs efo neb.

Roedd gan Robin un ffotograff ohoni yn sefyll o flaen pram y tu allan i Anwylfa mewn côt a edrychai yn rhy fawr. Mae'n siŵr ei fod o yn y pram yn cysgu, neu'n edrych arni hi yn disgwyl am ei ffidan blas nicotin nesaf. Roedd y ffotograff ohoni hi yn ei anesmwytho. Doedd hi ddim yn edrych i fyw llygad y lens. Edrychai ymhell y tu hwnt i'r camera rywust. Doedd Thelma Richards ddim yn bictiwr. Roedd golwg arni fel 'tae hi newydd gael ei thynnu drwy'r mangl. Roedd ei gwallt du yn helmet ar ei phen a'i hwyneb yn edrych fel petai o wedi'i sugno gan ddiod. Oedd ei fam yn yfed? Fe wyddai Robin yn dda fod ei dad yn yfwr trwm. Ond ei fam hefyd? Ai dihangfa iddi hi oedd socian ei hun mewn digalondid alcoholaidd? A beth amdano yntau? Roedd Robin yn hoff iawn o wlychu ei big yn nosweithiol. Byddai Llinos yn dannod iddo ei fod yn agor potel o win bob nos. Ond roedd pawb angen cysur a beth bynnag, doedd o ddim yn gaeth i'r ddiod. Gallai roi'r gorau iddi'n hawdd pe bai o eisiau. Roedd o'n siŵr o hynny; bron iawn.

Cerddodd Robin o gwmpas y Co-op i brynu ambell beth ar gyfer ei ginio. Er nad oedd wedi gadael y tŷ ers dyddiau, roedd digon wedi ei storio yn y rhewgell i'w gynnal. Bara ffres oedd y broblem. Doedd bara wedi ei rewi byth cystal o'i ddadrewi. Gwelodd y blwch Banc Bwyd. Ceisiodd Robin ddyfalu pam fod y blwch yn wag. Roedd trigolion Pont-henfelen naill ai yn hafing ac yn gwrthod cyfrannu, neu roedd pobl anghenus y pentref yn hynod farus.

Roedd Robin ar fin estyn am fasged pan welodd Sharon yn dod allan o gefn y siop. Doedd o ddim am iddi ei weld yn cario basged. Credai Robin fod dynion yn cario basged siopa yn ymdebygu i liprynnod llywaeth. Merched ddylai wneud y siopa, ond doedd ganddo fo fawr o ddewis ar hyn o bryd. Sythodd ei gefn a chodi ei ben i geisio ymestyn y dagell twrci oedd wedi datblygu o dan ei ên fel pe bai dros nos. Am y tro cyntaf, teimlai feichiau henaint newydd yn pwyso'n drwm arno gan amlygu eu hunain yn rhychau newydd ei wyneb ac yn y bol oedd yn gwasgu a lledu'n llanw di-drai dros felt ei drowsus.

Bachodd fag papur i ddal y madarch ac estynnodd

am nionyn, paced o facwn, potel o Malbec a thorth. Wrth basio'r silffoedd melys, gwelodd baced o Hobnobs siocled. Ffefryn Llinos. Ie, pam lai? Rhoddodd y paced bisgedi ar ben ei bentwr gan ofalu peidio llacio'i gesail dde oedd fel gefail am ei amlen werthfawr. Taflodd Sharon belydrau ei heulwen o wên arno a theimlodd ei hun yn cynhesu drwyddo. Byddai'n barod iawn i ddawnsio 'Hot Stuff' efo Sharon. Sut gebyst y llwyddodd Plej i fachu hon? Y bastad lwcus!

Un o ffyddloniaid yr Eryr fedyddiodd Vernon Roberts Post yn Plej a hynny am fod ei gorun moel yn sgleinio fel swllt ers cyn cyrraedd ei bump ar hugain oed. Roedd unrhyw lysenw'n cydio fel gelen ym Mhont-henfelen, i'r graddau na fyddai llawer o drigolion iau'r pentref yn ymwybodol o'r enw gwreiddiol o'r crud i'r bedd. Dim ond ar daflen cnebrwng y deuai llawer i wybod gwir enw'r ymadawedig, hynny ydi, os gallent ddarllen. Diolchodd Robin nad oedd ganddo fo lysenw, hyd y gwyddai. Ond cofiodd yn sydyn y byddai Llinos, yn nyddiau cynnar eu priodas, yn ei alw o dro i dro yn 'Ogo-Pogo'. Roedd hynny flynyddoedd yn ôl bellach. Bu adeg pan fyddai Llinos yn edrych arno fel brenin. Pryd stopiodd hi ei garu, tybed? Onid oedd o'r un dyn heddiw ag oedd o bron i hanner canrif yn ôl?

Gwyddai'n dda mai carreg filltir fawr erydiad eu perthynas oedd colli'r babi. Dyna pryd y trodd pethau'n sur rhyngddynt. A hithau wedi cyrraedd pen ei thymor, bu'n rhaid i Llinos eni'r bachgen bach ar ôl cael cadarnhad

y bore hwnnw gan y fydwraig nad oedd curiad calon a
bod y bachgen bach wedi marw yn y groth. Aeth Robin
â hi i'r ysbyty. Roedd tristwch yn amdo amdanynt a dim
geiriau rhyngddynt am yr ugain munud llethol o daith
o Argoed i Ysbyty'r Sir. Ond wyddai o na Llinos fod
gwaeth i ddod. Collodd Llinos lawer o waed wrth eni'r
bachgen bach a chafwyd cymhlethdodau pellach yn sgil
gwaedlif mewnol. Canlyniad y cyfan oedd na fyddai
Llinos fyth yn beichiogi eto. Cafodd *hysterectomy* ac fe
achosodd hynny ymddygiad eithafol ganddi hi. Trodd
y Llinos fach dawel, swil yn Llinos gegog, chwerw. Nid
damwain oedd y ffaith bod y gair *hysterical* yn deillio o'r
gair *hysterectomy*, meddyliodd Robin. Ceisiodd ei orau
ond doedd dim cysuro arni hi. Trodd ei hysgrifennu a'i
chreadigrwydd yn ganolbwynt i'w bywyd hi gan gau
Robin i raddau helaeth allan o'i bywyd. Yr hyn nad oedd
Llinos wedi ei ddeall oedd fod colli'r babi ynghyd â'r
ffaith na fyddai o fyth yn dad wedi bod yn glec enfawr
iddo yntau hefyd. Ond na, doedd gan Llinos ddim amser
i feddwl am ei deimladau o.

Cododd Sharon ei llaw arno. Roedd hi ynghanol
trafod archebion efo gyrrwr y lorri nwyddau oedd yn
taflu'i gysgod dros ddrws y siop ac felly ni chafodd y
pleser o fod yn agos ati. Diolchodd yn ddistaw bach,
achos roedd o'n grediniol fod ei gwên wedi achosi i fân
wythiennau ffrwydro'n dân gwyllt coch ar hyd ei fochau,
yn union fel llencyn ifanc dibrofiad.

Bu'n rhaid bodloni ar dalu am ei nwyddau i'r Saesnes

nobl a arweiniai sesiynau wythnosol y 'Fat Club' yn Neuadd Goffa Pont-henfelen. Roedd hi'n eithaf amlwg i ddyn dall nad oedd sesiynau Debra Dew yn llwyddiant ysgubol. Dyma ddynes hefyd wrthodai'n lân â dweud na 'bore da' na 'diolch' yn Gymraeg. Bechod na fyddai'r bladras yn pesgi ar yr iaith Gymraeg i'r un graddau ag y gwnâi gyda'i bwyd. Mae'n siŵr nad oedd gweithio wrth gownter yn llawn sgons a bara brith yn helpu'r graduras. Roedd pob math o straeon yn cael eu cyfnewid am Debra Dew a'r enwocaf ohonynt oedd bod tethau ei bronnau yn ddigon mawr i fedru bachu hongiwr dillad arnynt. Fyddai Robin ddim balchach o gael mynediad i'w bronnau. Roedd bronnau mawrion yn codi pych arno, oni bai eu bod ynghlwm wrth gorff merch ifanc. Na, roedd yn well ganddo fronnau bychain twt, pert fel rhai Sharon.

Byddai'n rhaid iddo sôn wrth Sharon rhywdro eto am agwedd ddilornus Debra Dew at y Gymraeg. Byddai gofyn iddo ddewis ei eiriau'n ofalus. Doedd o ddim am swnio fel rhyw blismon iaith hen ffasiwn.

Diawliai na fyddai wedi talu'r deg ceiniog am fag y Co-op i gario'i neges wrth iddo ddringo'r allt serth yn ôl at y tŷ. Doedd ei nwyddau ddim yn drwm, dim ond braidd yn drwsgl, rhwng yr amlen a phopeth. 'Baich dyn diog' fyddai Llinos wedi'i ddwrdio. Pam fod ei llais hi'n mynnu drysu ei feddyliau'n dragywydd?

Cafodd Robin ei demtio i osod y cyfan am eiliad ar garreg senotaff y pentref er mwyn cael ei wynt ato. Ymataliodd. Dangos diffyg parch fyddai hynny. Byddai yna dipyn o dynnu'n groes rhwng Llinos ac yntau bob mis Tachwedd adeg Sul y Cofio. Gwrthodai Llinos yn lân â mynychu'r gwasanaeth o flaen y Senotaff na gwisgo'r pabi coch. Mynnai mai esgus arall oedd y diwrnod i glodfori gorchestion milwyr yn hytrach nag i annog heddwch. Teimlai Robin ei bod hi'n sarhau'r bechgyn a gollwyd. Ond waeth iddo fod wedi ceisio dwyn perswâd ar Ghandi mwy nag ar Llinos. Wnâi o ddim ennill y frwydr fach honno rhyngddynt.

Heddychwraig oedd Llinos. Credai Robin nad oedd diben mentro bod yn heddychwr oni bai bod holl drigolion y byd i gyd yn grwn yn heddychwyr. Naïfrwydd a thwpdra pur oedd credu y gallai hynny ddigwydd fyth. Byddai wastad angen disgyblu neu gosbi pobl, gwlad neu gyfandir i weld sens. Roedd dial yn rhan o'r natur ddynol.

Roedd anadl diwedd yr haf ar ei war yn taenu'n ias fel pe bai'n rhybudd fod yr haf bach Mihangel estynedig hwn yn dirwyn i ben. Un cysur o beidio â chael Llinos efo fo'r gaeaf oedd o'i flaen oedd na fyddai yna ymryson parhaus rhyngddynt parthed troi deial thermostat gwres canolog y tŷ'n uwch. Câi ryddid i wneud fel a fynnai.

Byddai Robin wedi gwerthfawrogi awel gryfach yn gwmni iddo ar hyd yr allt. Roedd yn laddar o chwys. I ychwanegu at ei drafferthion, clywodd wich ei ffôn bach yn ei boced. Cyflymai curiad ei galon bob tro y byddai ei ffôn yn canu neu neges yn gwichian. Bron yn ddieithriad byddai'r neges yn ymwneud mewn rhyw fodd neu'i gilydd â Llinos. Marw neu beidio, roedd rhai yn mynnu ei chadw'n fyw.

Straffaglodd i estyn y ffôn o'i boced a'i amheuon yn cael eu cadarnhau. Gwelodd neges gan Branwen yn dweud ei bod yn pasio drwy'r pentref ganol pnawn ac a fyddai'n gyfleus iddi ddod draw i drafod y gyfrol. *Ganol pnawn*. Beth oedd ystyr hynny? Dau, tri, pedwar o'r gloch? Pam ddiawl na allai hi fod ychydig mwy penodol? 'Asu, roedd eisiau gras! Roedd y ffôn yn nodi ei bod wedi troi hanner dydd. Roedd ganddo ddigon o amser i gael trefn. Atebodd y neges gydag arwydd bawd yn codi. Edifarodd yn syth. Oni fyddai wedi bod yn well iddo anfon geiriad yn ateb i'w neges hi? Oedd arwydd codi bawd ddim fymryn yn anaeddfed i rywun o'i statws llenyddol o?

Cyflymodd ei gamau wrth basio'r goeden wrth odre Allt yr Hebog. Hon oedd y goeden lle canfu'r Beni Bins dwl 'na un o genod Stad y Gors yn hongian gwta droedfedd o'r llawr dair neu bedair blynedd ynghynt. Roedd y ferch bedair ar bymtheg oed, Melanie neu Stephanie neu beth bynnag oedd ei henw, wedi crogi ei hun gerfydd careiau ei sgidiau Reebok. Rhyw helynt dynion a chyffuriau oedd cefndir ei digalondid, mae'n debyg. Cofiai Robin hi ym mar cefn yr Eryr yn plygu dros y bwrdd pŵl a hogiau'r Clwb Pêl-droed yn glafoerio y tu ôl i'w brwynen o gorff. Roedd hyd yn oed y ffon pŵl yn ei llaw'n ymddangos yn ordew o'i chymharu â'i chorff bach tenau. Byddai peryg i un o'r llwdwns hogiau pêl-droed ei thorri'n ei hanner pe baen nhw'n neidio ar ei chefn. Bu ei chont hi'n fanc bach handi iddi; ond fe sbydodd ei sêfings ac roedd y siop bellach wedi cau.

Roedd y llo cors wedi styrbio drwyddo a rhedodd at Llinos yn Argoed y bore hwnnw. Prin y gallai egluro ei neges. Deallodd Llinos o ystumiau Beni Bins ei fod wedi dod o hyd i rywun wedi'i grogi. Rhedodd y ddau yn ôl i lawr yr allt at y goeden. Peth trybeilig o drwm ydi corff, hyd yn oed corff peth bach mor denau. Defnyddiodd Beni ei holl nerth i ryddhau'r ferch o'r cortyn tra galwodd Llinos yr heddlu o'i ffôn bach.

Wrthi'n paratoi i ddod draw i lofnodi ei chyfrol ddiweddaraf yn Siop yr Inc oedd Llinos y bore hwnnw.

Gohiriwyd y digwyddiad wrth reswm. Bu Beni'n yfed paneidiau cryf efo Llinos am hydoedd ac arhosodd ei ddrewdod yn glogyn ar hyd y gegin ymhell wedi iddo fynd. Roedd gan Llinos y ddawn i ddenu'r rhai rhyfedda. Flynyddoedd ynghynt bu'n rhoi gwersi darllen bob bore Gwener i Beni ar ôl iddo orffen ei shifft casglu sbwriel tan iddo honni ei fod wedi meistroli'r llythrennau.

Gadawodd golygfa'r goeden ei hôl ar Llinos. Ymneilltuodd yn fwy fyth i'w stydi i geisio dianc, i geisio gwneud synnwyr o fywyd. Roedd marwolaeth yn fyw o'u cwmpas ymhobman. Yr hyn fu'n benbleth i Robin oedd sut nad oedd o wedi sylwi ar y corff yn y goeden. Roedd o wedi hen fynd i agor Siop yr Inc ymhell cyn i Beni Bins ei chanfod hi. Sut na wnaeth o sylwi? Roedd meddwl am basio'r goeden yng nghysgod corff y ferch ifanc yn codi cryd arno. Yr hulpan wirion! I beth wnaeth hi beth mor ynfyd?

Synhwyrai Robin wrth droi'r gornel i olwg talcen Dan y Coed fod Mair yn ei wylio drwy un o'r ffenestri. Roedd llond lein yr ardd o'i dilladach fel ysbrydion troednoeth yn hofran uwchben y lawnt. Er bod awel ysgafn wedi codi yn ystod yr awr ddiwethaf, doedd hi ddim yn ddigon cryf i chwythu'r dillad. Edrychai'r cynfasau fel petaent yn mwynhau siesta fach. Mae'n rhaid i Mair fanteisio ar y tywydd mwyn i'w hongian tra oedd o yn y Swyddfa Bost. Clywodd Daniel yn cyfarth rywle o grombil y tŷ wrth iddo basio Llyn Boddi Babis a throi ei gamau tuag adref.

Bu bron iddo gael hartan rai eiliadau'n ddiweddarach

wrth i gorn swnllyd fan parseli udo'n groch y tu ôl iddo. Bu'n rhaid iddo ei heglu hi am y llwyni i wneud lle iddi. Yr hyn a'i poenai'n fwy na phigiadau'r drain ar lawes ei grys oedd nad oedd wedi clywed na synhwyro dyfodiad y fan y tu ôl iddo tan iddo glywed y corn. Oedd ei glyw o mor ddrwg â hynny? Pa mor ddibynadwy oedd ei glustiau erbyn hyn? Oedd ei glyw'n chwarae mig â fo? Arhosodd y fan wrth ei ymyl a chyfarthodd llais cras y gyrrwr drwy ffenest y fan:

'Where's Aaagoyd, mate? Is it up here? Can I turn around at the top of the hill?' Eglurodd Robin yn swta mai 'Argoed' oedd enw'r tŷ ac mai fo oedd ei berchennog a'i fod bron yno, a na, doedd 'na ddim lle i droi yn ôl oni bai bod ganddo adenydd. Lle felly oedd hwn, lle di-droi'n-ôl.

'Bugger that then. Can I give you your parcel now so I can reverse from here?' Cytunodd Robin yn anfoddog. Sgriblodd ei enw'n gwbl annealladwy ar beiriant a'i hatgoffai o sgrin tegan Etch A Sketch plant bach, a gadawodd i'r Sgowsar blin fustachu'r fan yn ôl at y lôn fawr.

Os oedd cario'r nwyddau'n stryffîg cynt, doedd y parsel (oedd yn focs, nid parsel) ddim yn help o gwbl i'w faich. Roedd ei neges bellach yn drwm yn ogystal â bod yn drwsgl. Pentyrrodd ei nwyddau a'i amlen werthfawr fel tŵr Jenga ar ben y bocs gan gamu'n ddall hyd weddill y lôn. Welai o fawr ddim o'i flaen. Gwyddai'n iawn beth oedd cynnwys y bocs. Roedd o wedi bod yn disgwyl am hwn. Gwych. Fyddai 'na ddim esgus dros ddiffyg cynnydd yn y gwaith rŵan.

Erbyn iddo gyrraedd Argoed, roedd yn un pwll o chwys. Gosododd bopeth ar riniog y drws a gwrando. Tawelwch.

Pwy a greodd dawelwch? Pwy a luniodd yr hyn nas clywir, nas gwelir, nas cyffyrddir; nas blasir, nas arogleuir?

Roedd rhaid iddo gytuno â Llinos, yn groes i'r graen, i Angharad Price lunio clamp o gyfrol ddyfeisgar gyda stori Rebecca Jones. Ond er i Llinos ddyfynnu geiriau agoriadol *O! Tyn y Gorchudd* dro ar ôl tro, ni chredai Robin fod newydd-deb ynddynt. Pan ddarllenodd wedyn adolygiad Llinos o olygiad newydd y wasg ffeministaidd o ddetholiad o gyfrolau Eluned Morgan, gwelodd i Eluned hithau ysgrifennu geiriau tebyg:

Distawrwydd y paith yn y nos, pwy all fynegi amdano na'i egluro? Peth i'w deimlo ydyw, ac nid i ysgrifennu na siarad amdano.

Afraid dweud iddo fwynhau nodi'r tebygrwydd rhwng y ddau ddyfyniad wrth Llinos. Ond gwadu bod yna unrhyw debygrwydd wnaeth hi, wrth reswm. Onid oedd ymgais pob artist i ddarganfod mynegiant newydd yn mynd yn fwyfwy heriol? Credai Robin mai un o'r rhesymau pennaf dros y cynnydd syfrdanol mewn nofelau gan fenywod yn ystod yr ugain mlynedd diwethaf oedd eu bod yn feistri ar efelychu; ar watwar; ar gopïo. Dim ond ochneidio wnaeth Llinos gan fwmial rhywbeth i'r perwyl nad nofel oedd *O! Tyn y Gorchudd* ond hunangofiant ac nad nofel oedd *Dringo'r Andes* chwaith ond cyfrol daith. Sleifiodd hi i'w stydi i bwdu. Aeth Robin i'r gegin y prynhawn hwnnw i agor potel o gwrw fel dathliad bach iddo roi Llinos a'i chwiorydd llengar trist yn eu lle.

Roedd ar fin agor drws y tŷ. Teimlai lygaid yn ei wylio. Edrychodd dros ei ysgwydd. Roedd o yno eto, yn ei wylio fel barcud. Ond nid barcud mohono. Byddai wedi bod yn fymryn o ryddhad gweld barcud. Brân fawr ddu oedd yno eto. Brân neu gigfran? Doedd o ddim yn rhy siŵr. Doedd o 'rioed wedi bod yn un da am adnabod adar a doedd ganddo fawr o ddiddordeb mewn natur. Diléit Llinos oedd hynny. Gwyddai hi enw pob aderyn, pob blodyn, pob coeden. Gwyddai hi bob diawl o bob dim.

Tybiai Robin mai cigfran oedd o gan fod ei blu'n fwy garw na brân gyffredin. Disgleiriai ei blu'n gnepyn o lo du yng ngolau haul canol dydd yn barod i ddarogan gwae. Clwydai'n fygythiol lonydd ar fwrdd picnic yr ardd, fel pe bai'n disgwyl gwledd. Ond tybiai Robin nad aros am fwydod yr oedd o. Syllodd y ddau ar ei gilydd. Doedd y diawl deryn ddim am osgoi ei lygaid. Roedd o fel pe bai'n serio'i enaid a dim llai na chodi ofn arno. Clywai eiriau prin ei fam pan fyddai'n swatio yn hogyn bach yn y twll dan grisiau adeg storm o fellt a tharanau, neu pan fyddai'r mîtyr trydan wedi llyncu'r sylltau, yn ei annog,

'Get a grip, Rob! Get a grip!' Ond doedd gan Robin ddim bwriad o fod yn Barnaby Rudge i'r gigfran yma.

Roedd ganddo ddigon ar ei blât. Melltithiodd y creadur am ei aflonyddu.

Gwrandawodd eto. Mae'n rhaid bod y fan wedi llwyddo i facio'n ôl i'r lôn fawr. Doedd dim neilltuol i'w glywed. Estynnodd am y goriadau o'i boced a'u clywed yn canu wrth iddynt gael eu rhyddhau o'r hances. Cariodd ei holl daclau i'r tŷ gan gau'r drws yn sen ar y gigfran a'r byd y tu allan.

Tawelwch. Bendigedig. Gosododd y bocs yn y lolfa. Aeth ati i'w agor yn ofalus gan dynnu'r peiriant prydferth o'i focs a dotio at y cês lledr oedd yn gôt iddo. Agorodd y cês a rhyfeddu ar y peiriant yn ei holl ogoniant. Roedd rhuban wedi ei osod ynddo yn ôl ei gais, ac un sbâr wrth gefn. Ond digon i'r diwrnod... Aeth â'r sbwriel i'r gegin gefn. Roedd hi'n noson bins. Byddai'n rhaid iddo gasglu popeth i'w roi wrth y giât cyn clwydo heno.

Dechreuodd dwtio fymryn ar y gegin wrth iddo baratoi tamaid sydyn iddo'i hun. A ddylai baratoi ar gyfer dau? Doedd wybod pryd y byddai'r Branwen 'ma'n cyrraedd. Roedd ganddo waith cael trefn. Ar adegau fel hyn, gwyddai fod arno angen Llinos. Gwyddai y byddai'r cyw golygydd yn gwneud iddo deimlo'n israddol, fel pe bai hi'n ei roi ar brawf. Pam, pam ei fod yn teimlo gymaint o ddiffyg hyder yn ei allu creadigol ei hun? Sut gallai o danio'i ddychymyg i gonsurio meddwl arloesol, syniadau gwreiddiol fyddai'n creu argraff ar bobl? Pam fod rhai wedi eu bendithio â doniau, syniadau newydd ac egni creadigol, ac eraill, fel fo, yn hesb o'r rhain i gyd? Sut oedd

dyn i fod i oresgyn hunanamheuaeth a'i throi'n hunan-
gred? Arferai Llinos ddweud fod pob gwir awdur yn ei
amau ei hun, yn teimlo'n fregus wrth gyflwyno'i waith ac
mai prentis oedd pob artist.

Roedd Llinos wedi dadlau erioed fod Robin yn rhy
barod i roi'r ffidil yn y to; nad oedd ganddo'r amynedd
i geisio goresgyn rhwystrau a rhwystredigaethau; mai
mater o ffocws oedd o yn y bôn; bod angen 'ymroi i dy
grefft, ynghyd â gwaith caled er mwyn canfod dy lais;
canfod dy mojo'. Onid oedd Tolstoy wedi ailysgrifennu
War and Peace o leiaf saith o weithiau cyn ei chyhoeddi?
Byddai Llinos yn dweud wrtho fod straeon o dan ei drwyn
o, o flaen ei lygaid, dim ond iddo wrando. Roedd angen
gonestrwydd yn y gwaith. Faint o weithiau y clywodd hi'n
dweud wrtho 'nad creu er mwyn creu enw i ti dy hun y
dylet ti wneud ond creu gwaith sy'n driw i ti, sy'n dweud
rhywbeth...' Os clywodd o 'dyfal donc' unwaith... Roedd
hi'n iawn, wrth gwrs. Fel arfer.

Arferai Llinos fynnu hefyd bod y gwir artist yn fodlon
mynd i eithafion i gyrraedd y nod. Byddai'n defnyddio
enghreifftiau fel yr artist Turner i gefnogi ei phwynt.
Byddai Turner yn cael ei ysbrydoli gan rymoedd naturiol
fel stormydd a tharanau. Mae'n debyg i'r artist fynd yn un
swydd i weld llosgi'r Senedd yn Llundain yn 1834. Yn ôl
chwedl arall amdano, fe glymodd ei hun wrth hwylbren
llong fel ffordd o baratoi at greu'r campwaith *Snow Storm*.
Roedd yna gyfaredd iddo ym mhŵer gwyllt y môr.

Arweiniai'r ddarlith yn ddi-ffael at Llinos yn

cymharu hyn ymhellach â phrofiad Eluned Morgan eto fyth. Cofiai fel y byddai llygaid duon Llinos yn pefrio wrth iddi ailadrodd hanes Eluned o'i chyfrol *Gwymon y Môr*. Mynnodd y ddynes ryfedd hon gael ei lapio mewn hugan llongwr a'i chlymu wrth hwylbren llong ynghanol storm. Roedd hi'n benderfynol o gael gweld yn ogystal â chael teimlo cynddaredd a rhyferthwy'r storm honno. Mynnodd Robin mai dwyn y syniad yma oddi ar Turner wnaeth hi felly. Ond honnai Llinos na fyddai Eluned Morgan wedi medru ysgrifennu cyfrol mor delynegol oni bai am y profiad hwnnw. Yr unig beth âi drwy feddwl Robin oedd bod yn rhaid bod Eluned Morgan yn nyts!

Dadleuai Llinos fod angen i Robin roi gwaith Eluned yng nghyd-destun y cyfnod, cyfnod lle na châi llawer o ferched y cyfle i ysgrifennu heb sôn am fagu hyder i wneud hynny. Credai Robin fod Llinos yn gor-wneud y busnes merched 'ma. Os oedd rhywun eisiau llenydda, beth oedd yn ei rwystro? Pa wahaniaeth os mai dyn ynte dynes neu arall oedd o neu hi, neu nhw neu ni? A tha waeth, beth oedd yn orchestol am hen ferch fel Eluned yn sgwennu? Beth arall oedd gan hen grimpan sych-dduwiol i'w wneud a'i horiau'n llusgo ar grinder eang y pampas? Yr hyn roedd hi ei angen oedd ffwc go iawn. Ond mae'n siŵr i Eluned fynd at ei Chrëwr â'i hamlen heb ei hagor! Chwerthin wnaeth Llinos bryd hynny mewn ymateb i sylw smala Robin. Roedd gan Llinos synnwyr digrifwch ar un adeg, ond ar ôl colli'r babi fe aeth ei gwaith hithau, fel Eluned o'i blaen, i'w llwyr feddiannu. Ymneilltuodd i wely plu ei llenydda gan gau'r drws ar Robin, a rhoi sêl go dynn ar ei hamlen hithau.

Bid a fo am hynny, roedd y sgyrsiau a rannodd efo Llinos yn nyddiau cynnar eu priodas yn canu yng nghlustiau briwedig Robin. Wyddai o ddim yn iawn bryd hynny beth oedd ystyr ei honiad hi: 'Rhaid wrth weithredoedd eithafol i gyrraedd y nod.' Ond roedd o'n deall bellach. Yn deall yn well na neb ac o'r diwedd wedi canfod y mojo neu'r ffocws hwnnw y soniai Llinos amdano; y 'creadigrwydd' oedd yn grymuso dyn. I Llinos roedd y diolch am hynny.

Edrychodd ar gloc digidol y popty. Roedd hi'n un o'r gloch ar ei ben. Tywalltodd wydraid o'r Malbec iddo'i hun. Roedd o'n haeddu gwydraid ar ôl y bore roedd o wedi ei gael. Aeth â'i frechdan bacwn a madarch i'r lolfa er mwyn gwylio penawdau newyddion un i weld a oedd mwy o hanes am y trychineb yn y tŵr.

Wedi iddo orffen claddu ei ginio, drachtio'i wydr a mwynhau'r rhyddhad nad oedd dim mwy o newyddion o bwys am y trychineb, golchodd ei blât a'i wydr, gorffen clirio'r gegin, a mynd drwodd i stydi Llinos. Ei stydi fo bellach. Roedd hi'n tynnu am ddau o'r gloch a dim sôn am Branwen. Wynebai ffenestri helaeth y stydi'r llwybr o ardd y tŷ at yr allt i lawr i'r pentref. Drwy'r ffenestri yma yr arferai Llinos weld ei byd bach rhyfedd.

Oherwydd safle uchel Argoed, gwyddai Robin y byddai'n gallu gweld Branwen, neu unrhyw ymwelydd arall pe bai'n dod i hynny, cyn y bydden nhw'n ei weld o. Gwnâi hyn y stydi yn llecyn hynod fanteisiol pe byddid yn awyddus i osgoi ateb y drws i ymwelwyr busneslyd. Sawl gwaith y smaliodd Robin dros y misoedd diwethaf nad oedd o gartref, yn enwedig pan heidiai'r newyddiadurwyr ysglyfaethus yno ar sgowt i chwilio am ogwydd arall i'r stori i'w papurau. Byddai hefyd yn siŵr o glywed sŵn unrhyw gerbyd ddeuai i fyny'r allt, Tinnitus ai peidio. Prin iawn fyddai yna unrhyw draffig ar y lôn fach a hithau'n mynd i unlle.

Eisteddodd Robin wrth ddesg fawr dderw Llinos i geisio dechrau cael trefn ar ei bapurau a'i feddwl. Roedd ei stamp hi'n dal i fygu'r stydi. Roedd ei hoglau hi'n dal yno, fel pe bai hi'n gwrthod gadael fynd er i Robin fynd â hylltod o lyfrau a phapurau i lawr i'r seler gan greu sgerbwd stydi arall yng ngwaelod y tŷ. Aeth hyd yn oed i'r drafferth o adeiladu silffoedd yno'n gartref iddynt. Er gwaethaf ei ymdrechion, roedd y tŷ fel pe bai'n dodwy llyfrau. 'Munud y byddai wedi ceisio clirio un silff, roedd y colofnau llyfrau a gydbwysai'n dwr bregus ar lawr y stydi'n canfod nyth arall.

Byddai ambell i ymwelydd ag Argoed yn edmygu'r darlun o fynydd Tryfan gan Kyffin yn y cyntedd. Gallai Robin weld y llun drwy ddrws y stydi. Llun Tryfan fyddai'n denu sylw bob tro. Pur anaml y byddai neb yn talu sylw i silff eang y stydi a neilltuwyd i gyfrolau cain Gwasg Gregynog. Roedd yno werth rhai miloedd o bunnoedd o gyfrolau o'r wasg honno yno. Edrychodd ar y silffoedd y naill ochr i'r ddesg fawr. Roedden nhw'n gwegian dan bwysau'r afalans o gyfrolau. Roedd y silff nesaf at y ddesg yn llawn llyfrau Cymraeg. Nofelau'n bennaf. Ble roedd y dynion? Ar wahân i ambell i Llwyd, Tony, Daniel a Dewi, merched oedd y cyfan. Doedd hi ddim yn silff gynhwysol iawn. Roedd cyfartaledd yn nhyb Robin wedi mynd yn annheg o anghytbwys. Roedd o wedi chwerthin yn uchel wrth wrando ar yr holl falu awyr ar ôl yr Eisteddfod am brinder merched yn Llys yr Eisteddfod. Beth oedd haru'r merched gwirion yn tynnu sylw atyn nhw'u hunain?

Pam na fydden nhw'n bodloni ar fod yn lluniaeth ac yn llawenydd i ddynion? Byddai cael cenfaint o ferched yn Llys yr Eisteddfod fel cael llond sêt fawr capel Horeb o flaenoriaid benywaidd yn clwcian fel ieir. Byddai Duw druan yn troi'n ei fedd.

Cododd Robin ei olygon eto at yr oriel o nofelwyr ar y silff simsan uwch ei ben. Teimlai bwysau'r merched yn gwasgu arno, ac nid mewn ffordd neis. Byddai un ar y tro yn iawn, ond llond Sain Ffagan ohonynt yn gwasgaru eu llwch drosto? Mygai Robin yn eu cwmni: Angharad, Manon, Marian, Elizabeth, Fflur, Lleucu, Sonia, Mari, Eigra, Sian, Sioned, Alys, Mererid, Bethan, Caryl, Meg, Megan, Llio, Eluned, Winnie, Kate, Rhiannon, Jane... Doedd dim pen draw i'r rhestr. Ac yno oddi tanynt, ar y gadair freichiau, yn mwynhau'r holl sylw, gorweddai Bruce yn llipa ddi-asgwrn-cefn yn tra-arglwyddiaethu drostynt. Y 'sglyfaeth iddo! Ond doedd yr hen Bruce ddim yn gyflawn. Roedd ôl bodio budr arno a'i air olaf oedd *yearn* gyda'r cyfieithiad: **yearn** *v.i.* **to ~ (for sth)**, dyh|eu, hiraethu (am rth). Doedd dim sôn am y dudalen geiriau'n dechrau efo 'z'. I ble'r aeth y dudalen honno, tybed? Beth pe bai'r merched angen help efo geiriau fel *zombie, zebra, zodiac* neu *zero*? Doedd Bruce o ddim help iddyn nhw efo z. Zzz! Doedd dim cwsg i'r merched yng nghwmni Bruce! Chwarddodd Robin wrth feddwl am y peth.

Ceisiodd Robin ddyfalu beth ar wyneb daear oedd Branwen Dafydd eisiau ei drafod efo fo heddiw. Niwsans braidd oedd ei bod yn picio acw ar y fath fyr rybudd. Onid oedd hi'n ddyddiau cynnar i'r wasg ddechrau trafod yr hunangofiant? Mae'n rhaid ei bod hi'n awyddus tu hwnt. Roedd hynny i'w groesawu mewn dynes, cyn belled nad oedd hi'n orhyderus. Doedd dim byd gwaeth gan Robin na dynes yn diferu o hyder, yn arbennig felly olygyddion benywaidd. Roedden nhw'n frid unigryw, llidus. Roedd angen gwyleidd-dra mewn dynes dda ac roedd hynny'n beth prin. Felly beth oedd y brys? Onid oedd y Cyngor Llyfrau wedi cytuno fod ganddo flwyddyn gron gyfan i gwblhau'r drafft cyntaf?

Doedd o ddim wedi rhoi llawer o sylw i'r hunangofiant hyd yn hyn. Ar hyn o bryd roedd nodiadau'r hunangofiant yn anffodus wedi'u sgwennu yn y trydydd person. Ond mater bach fyddai iddo fo newid hynny i'r person cyntaf pan fyddai'r drafft cyntaf wedi ei gwblhau. Gallai ddweud wrth Branwen, os oedd hi am roi pwysau arno, ei bod hi braidd yn gynnar iddo fo daclo'r gwaith; bod y cyfan braidd yn amrwd dan yr amgylchiadau.

Yr hyn na fedrai ei ddatgelu wrthi oedd ei fod wedi rhoi'r flaenoriaeth i'w nofel oedd yn swatio yn yr amlen fawr. Bu'n ddygn yn ceisio gorffen trawsgrifio tudalennau'r nofel oedd wedi eu teipio er mwyn eu trosglwyddo i'r cyfrifiadur gan fod dyddiad cau'r Fedal Ryddiaith yn prysur bwyso. Roedd o'n benderfynol o'i chyflwyno hi mewn pryd. Dyma'i gyfle i wneud ei farc.

Bu Robin yn dyheu am enwogrwydd ers pan oedd o'n blentyn. Ei fagwrfa ddi-nod fu'n rhannol gyfrifol am roi'r uchelgais honno iddo, beryg. Pwy oedd yn cofio am Thelma Richards erbyn heddiw? Prin y cofiai Robin amdani hi heb sôn am neb arall. Roedd ganddo frith gof o rannu wy wedi'i ferwi efo hi a chof arall ohoni hi efo sgriwdreifar yn agor mîtyr y trydan er mwyn ailddefnyddio'r sylltau. Ymhell ar ôl iddi farw, cofiai Robin mai un o'i ofnau mawr o yn blentyn, pan oedd ei dad o wedi 'picio allan' at ryw 'anti' eto fyth, oedd i'r mîtyr redeg allan a'i adael mewn tywyllwch. Ond er nad oedd ganddo fawr mwy o atgofion am ei fam, cofiai ddigon amdani i wybod iddi fyw y rhan fwyaf o'i bywyd byr mewn ofn. Cofiai ei hwyneb hi'n bictiwr o boen. Priodas anhapus iawn oedd priodas ei rieni, a thybiai Robin y bu marwolaeth ei fam yn destun rhyddhad i'w dad er na chyfaddefodd o hynny erioed.

Bu marwolaeth ei fam yn ergyd drom i Robin er nad oedd hi, hyd y cofiai, yn hynod o gariadus tuag ato. Ond doedd Eric Richards ddim am drafod y peth. Bu'n rhaid i Robin adael i'w fam fynd, yn union fel y gadawodd, ym mharti pen-blwydd Vernon Roberts, i farcud ei 'ffrind' fynd gyda'r gwynt un diwrnod. Gwnaeth Robin hynny o ran sbeit am na chafodd o erioed farcud yn anrheg gan neb. Pam ddylai Vernon Roberts gael y lwc i gyd?

Cofiai fel y byddai rhieni ei gyfoedion yn gaddo beic i'w plant pe pasient eu helefn plys. Clywodd Robin ddigon o straeon am y bechgyn anffodus fethodd â chael mynediad i'r 'Grammar School for Boys' i wybod nad oedd ond un ffordd o lwyddo, a dringo'r ysgol addysg, pasio'r elefn plys oedd hynny. Ar ôl marwolaeth ei fam, gwyddai Robin, er ei fod o'n dal yn blentyn, nad oedd neb ond fo'i hun yn mynd i'w helpu fo. Er mwyn creu bywyd y tu hwnt i furiau tywyll Anwylfa, byddai'n rhaid iddo neud rhywbeth ohono fo'i hun. Ar ôl rhoi trwyn ar y maen, fe basiodd Robin yr elefn plys, ond chafodd o ddim hyd yn oed gair o longyfarch heb sôn am gael beic coch fel yr un y bu'n ei ddeisyfu ers misoedd.

Doedd fawr neb yn siarad am Eric Richards heddiw, hyd y gwyddai. Dim ond Llinos fyddai'n cyfeirio ato weithiau gan fynd mor bell unwaith â'i alw'n 'fochyn o ddyn'. Er ei bod hi'n eithaf agos at ei lle, nid ei lle hi oedd sbio lawr ei thrwyn ar ei dad o, ac fe ddifarodd Llinos yn ddigon sydyn am siarad mor ddilornus am ei deulu. Wnaeth hi ddim meiddio dweud dim byd tebyg eto. Ond anodd tynnu dyn oddi ar ei dylwyth. Fe etifeddodd ei Llinos fach ei hagwedd 'fi fawr' gan ei rhieni hi. Mae'n cymryd aderyn glân i ganu, meddyliodd Robin.

Sut felly roedd o, Robin, am adael ei farc? Roedd sawl dull posib o wireddu'r freuddwyd fawr honno: sgwennu campwaith; ennill y loteri; lladd rhywun...! Chwarddodd Robin. Ond wedyn, pwy fyddai eisiau enwogrwydd a threulio gweddill ei ddyddiau mewn carchar? Na, sgwennu campwaith amdani! Roedd ganddo gynllun. Roedd o am ddechrau efo'r nofel ar gyfer y Fedal Ryddiaith ac wedyn mi fyddai ei hunangofiant, fyddai'n dilyn yn fuan wedyn, yn bownd o gael lle ar restr fer Llyfr y Flwyddyn! Byddai'n destun edmygedd yr academia gyfan!

Roedd y Steddfod flwyddyn nesaf ar garreg y drws.

Byddai'r genedl yn heidio i'r gornel fach hon o Gymru. Sawl gwaith y ceisiodd ddychmygu'r olygfa yn y pafiliwn gorlawn gyda'r Archdderwydd yn ei alw at y llwyfan; yr utgyrn yn seinio a'r goleuadau'n chwilio amdano? Gallai glywed y dorf yn codi ar ei thraed wrth ymlawenhau yn ei gamp, yn enwedig ac yntau wedi dioddef profedigaeth lem. Byddai'n arwr cenedl gan dderbyn pob clod yn wylaidd ond yn urddasol. Roedd eisoes wedi paratoi'r hyn fyddai'n ei ddweud wrth y cyfryngau, yn barod i gael ei ddyfynnu a'i lun yn harddu clawr pob papur a chylchgrawn. Roedd yr holl syniad yn ei gyffroi fel na fu'r ffasiwn beth!

Gobeithiai na fyddai Branwen yn aros yn rhy hir. Roedd angen amser a ffocws i wirio'r testun unwaith eto cyn ei bostio bore fory a gwireddu breuddwyd oes. Gallai'r holl beth ddechrau si mai fo mewn gwirionedd oedd gwir awdur llyfrau Llinos. Fo fyddai'r Eluned Phillips newydd – yr optimist absoliwt! Yr awdur gafodd gam! Ha! Ha!

Darllen pwt o stori gan Llinos ychydig flynyddoedd yn ôl yn y ffeil 'gwaith ar y gweill' a'i hanogodd i ystyried mentro cystadlu. Roedd ei phwt o stori wedi ei gynhyrfu. Croesholodd Llinos amdani. Ai stori hunangofiannol oedd hi? Ai amdano fo'r oedd hi'n sgwennu? Y feirniadaeth gafodd Robin, yr unig dro iddo gystadlu am y Fedal Ryddiaith, rai blynyddoedd ynghynt, oedd bod 'yr awdur ar gyfeiliorn'. Roedd hynny wedi ei gythruddo yn ogystal â tholcio'i hyder yn enbyd. Beth wyddai'r

beirniad beth bynnag? Sgwennodd hi 'rioed ddim byd o
werth, dim ond nofelau

hirwyntog

astrus

na ddeallai neb

mo'u cynnwys.

Gwadu a wnaeth Llinos. Doedd gan ei stori hi ddim
unrhyw gysylltiad ag o, siŵr. Ond roedd gan Robin ei
amheuon. Roedd popeth a wnâi Llinos yn tanseilio'i allu,
ei frwdfrydedd, ei hyder. Agorodd y ffeil ar ei chyfrifiadur
i'w darllen hi eto:

> Ar un adeg, amser maith yn ôl, arferai hi sgwennu. Byddai
> ei chymar yn sgwennu hefyd, ond am resymau gwahanol.
> Ysgrifennodd stori ddaeth â chryn amlygrwydd iddo
> unwaith, ond gwyddai hi nad ei stori o oedd hi. Stori
> fenthyg oedd hi, cawl eildwym, ond dim ond hi wyddai
> hynny. Roedd y beirniad wrth gloi ei feirniadaeth wedi
> nodi bod 'tinc profiad' ar y gwaith. Oedd, roedd 'tinc
> profiad' yn sicr ar ei gyfrol, tinc ei phrofiad hi! Ond aros
> yn fud wnaeth hi. Gwyddai fod gwell blas ar gawl eildwym
> nag ar y pryd gwreiddiol. Ond gadawodd y cyfan flas cas
> yn ei cheg. Cofiai fel y nododd y beirniad hefyd mai 'dyn
> ar gyfeiliorn' oedd yr awdur; nad oedd yn dilyn unrhyw
> arwyddbyst, ei fod yn dilyn ei drywydd ei hun.
>
> Pe gellid edrych drwy wydr grisial y dyfodol, byddai
> hi wedi gweld eironi'r honiad hwnnw a hithau'r munud
> hwnnw'n denu cysgodion y nos i gofleidio ei chorff bach

eiddil yn y gwely mawr unig.

Cofiai yn nyfnder y nos fel y byddai'n arfer ei chanmol a thinc eiddigedd yn ei lais. Honnai mai'r rheswm y gallai hi sillafu cystal oedd am fod ei thrwyn bach cam ynghlwm mewn llyfr yn dragywydd. Byddai hi'n gwenu arno gan gymryd arni mai ei ganmol yr oedd hi. Doedd ganddi hi mo'r egni i egluro nad darllen er mwyn dysgu sillafu yr oedd hi. Darllenai er mwyn ceisio dianc. Darllenai er mwyn ceisio deall. Nid oedd wedi ysgrifennu gair ers iddo fo fynd. Arferai gael boddhad, rhyw ymollyngdod o luchio geiriau at ei gilydd a llenwi'r dudalen wag yn un gybolfa o inc du. Arferai flasu pob gair gan roi tamaid iddo fo yn hwyr y nos i gael ei farn. Buan y gwelodd fod hud y geiriau'n diflannu'r munud y byddai'n eu rhannu, ac felly roedd hi wedi rhoi'r gorau i chwarae â geiriau. Gadawodd iddo ddwyn y geiriau oddi arni a'u taflu i'w bair ei hun.

Ceisiodd feddwl am bethau positif oedd wedi deillio o'u perthynas ar wahân i Gwern. Yr unig waddol hyd y gwelai hi, a fedrai hi ddim gweld dim ynghanol nos nac yng ngolau dydd tasa hi'n dod i hynny, ie'r unig waddol i'w perthynas oedd insomnia. Addawodd iddi hi ei hun y byddai'n mynd â llyfr nodiadau ar ei thaith fore drannoeth. Ond cwsg gyntaf. Rhaid oedd cysgu. Roedd antur o'i blaen.

Parhâi'r pwt i'w gnoi. Roedd Llinos wedi dweud wrtho unwaith, pan gyhuddodd Robin hi o fod yn gwmni diflas, ei bod hi'n darllen er mwyn teimlo'n llai unig. Ddeallodd Robin erioed mo'i sylw hunandosturiol hi.

Roedd o wedi credu'n siŵr, o ddarllen y gwaith ar y gweill, fod gan Llinos gynlluniau i'w adael. Chwarddodd Llinos gan ofyn iddo beth wnâi o hebddi. Pwy fyddai o hebddi? Gwnaeth ei sylw dilornus iddo gorddi'n waeth fyth. A phwy ddiawl oedd Gwern? Mynnodd Llinos mai mab awdur y stori oedd o. A beth oedd y daith, yr 'antur' felly? Unwaith eto, taerodd Llinos fod y stori'n dilyn hanes yr awdur yn mynd i ymweld â'i mab yn y coleg cyn mynd i deithio o gwmpas Ewrop. I Robin, roedd y cyfan yn llawer rhy anghredadwy. Ffrwydrodd Llinos gan ei gyhuddo o ddiffyg dychymyg ac o fod yn haerllug wrth feddwl fod popeth a ysgrifennai hi yn troi o'i gwmpas o. Fe'i galwodd yn 'ddyn bach'.

A dyna pryd ddigwyddodd o. Dyna pryd y trawodd Robin ei wraig am y tro cyntaf. Nid unwaith, ond ddwywaith. Fe'i trawodd hi ar draws ei hwyneb; ei gwthio yn erbyn wal y llofft, cyn rhoi dwrn arall yn glatsh yn erbyn ei boch. Bu'n rhaid i Llinos guddio yn y tŷ am bron i bythefnos cyn i'r cleisiau duon a'r chwydd maint wy o dan ei llygaid fendio.

Gwyddai Robin ei fod yn ailadrodd ymddygiad ei dad. Bu hyn yn ofn gwirioneddol ganddo erioed; yr ofn ei fod am etifeddu neu efelychu nodweddion gwaethaf ei dad. Gallai glywed yn seler ei gof lais ymbilgar ei fam yn crefu, 'Plis Eric! Ddim eto!'; cyn clywed ei dad yn dweud yn gwbl hunanfeddiannol, 'Thelma. Fydda i ddim chwinc,' ac yna'r glec.

Roedd gan Robin gywilydd iddo ymateb yn y ffordd

y gwnaeth. Ond doedd o ddim am fod yn fat llawr i neb. Yn sicr ddim i'w wraig. Pam na fedrai hi fod fel gwragedd ufudd disylw eraill y pentref? Ac ar ben popeth roedd y Tinnitus yn ei wneud yn benwan. Ymddiheurodd yn llaes i Llinos, a chowtowio iddi wedi hynny, tan iddi ei fychanu eto.

Yn fuan wedi Eisteddfod Meifod oedd hi, a Llinos yn llarpio cynnwys nofel fuddugol y Fedal Ryddiaith y flwyddyn honno. 'Mae'n rhaid i ti ddarllen hon,' dywedodd wrtho mewn llais diemosiwn. Tybiodd Robin mai er mwyn gwerthfawrogi arddull neu strwythur y nofel y cymhellodd hi o i'w ddarllen. Hynny, neu'r angen iddo ddarllen llyfr y byddai tipyn o fynd arno ymhlith cwsmeriaid Siop yr Inc. Heriodd Robin hi'n chwareus wrth nodi ei ffug syndod ei bod hi'n ei annog i ddarllen nofel gan ddyn! Ateb Llinos oedd bod y dyn hwn yn hynod oleuedig.

Wrth ei ddarllen, dechreuodd Robin amau mai yn sgil y ffaith bod y prif gymeriad od yn hoelio'i sylw ar synau y tybiai Llinos y byddai ganddo ddiddordeb yn y nofel. Oedd hi wir yn meddwl ei fod o mor rhyfedd â'r Endaf gwallgof yma? Ond synhwyrodd yn eithaf buan mai eisiau iddo ddarllen am dad Endaf Rowlands yr oedd hi. 'Tyn dy sbectol' oedd geiriau'r tad cyn taro'i wraig. Trais bwriadol oedd hynny. Doedd o ddim byd tebyg i ymateb yn reddfol i gael ei sarhau. Doedd dim cymhariaeth rhwng y ddau beth. Doedd dim posib cyfiawnhau ymddygiad tad Endaf, siŵr. Ond nid dyna'r math o ddyn oedd o, Robin, er mwyn Duw!

Wedi gorffen ei darllen, wynebodd Robin ei wraig a gofyn iddi pam ei bod hi mor awyddus iddo ddarllen nofel mor rhyfedd. 'I ti gael gweld bod awduron heddiw yn sgwennu am faterion anodd, ond materion sy'n anffodus yn digwydd i rai ohonom.'

Ffromodd Robin. Pa hawl oedd gan hon i'w gymharu fo â llinyn trôns y nofel honno? Oedd hi'n awgrymu y dylai o ysgrifennu am ŵr yn taro'i wraig hollwybodus? A dyna pryd yr ailadroddwyd yr olygfa, ond yn y gegin y tro hwn. Torrodd Llinos ei braich wedi iddo ei hyrddio hi ar draws y gegin a hithau'n glanio'n drwm ar y llawr llechi. Bu'n rhaid iddo ei hebrwng i'r ysbyty. Addawodd na fyddai'n gwneud dim byd tebyg eto. Ymbiliodd arni i faddau iddo. Fu pethau fyth yr un fath rhyngddynt wedyn.

Ac yntau'n ail-fyw blynyddoedd olaf cythryblus eu priodas, tynnwyd Robin yn ôl i'r presennol wrth glywed cloc y cyntedd yn taro tri. Doedd dim sôn am Branwen. Bygro hyn. Roedd ganddo waith i'w wneud. 'Deuparth gwaith' fel y byddai Llinos yn ddweud.

Agorodd Robin yr amlen. Tynnodd y tri phecyn allan a'u gosod yn bentwr parchus ar y ddesg. Tynnodd y copi a deipiwyd gan Llinos allan o ddrôr gwaelod y ddesg. Gosododd y tudalennau'n ofalus i orwedd yn dwt ochr yn ochr â'r pentwr o drawsgrifiadau'r cyfrifiadur a brintiodd y noson cynt yn barod i'w hanfon y bore hwnnw.

Gosododd ei sbectol ar ei drwyn. Gwiriodd y ffugenw a rhif y gystadleuaeth ar y copïau fu'n swatio trwy'r dydd yn yr amlen.

Ystyriodd eto'r ffugenw: 'Eluned'. Merched oedd beirniaid y Fedal Ryddiaith y tro hwn, eto fyth. Tybiai y byddai o fantais iddo eu twyllo i gredu mai merch oedd awdur y gwaith. Pethau digon bregus oedd beirniaid ac yn arbennig felly rai benywaidd, er gwisgo masg o hyder. Byddai'r beirniaid yma'n siŵr o fod eisiau gwobrwyo un o'u chwiorydd llenyddol. Ond dechreuodd simsanu. Tarddai 'Eluned' o'r enw Saesneg 'Linnet', sef yr aderyn Llinos. Deuai'r enw 'Linnet' o'r hen air Ffrengig 'Linotte'. Roedd rhai'n honni bod yr enw hefyd yn golygu neu'n awgrymu eilunaddoliaeth. Perffaith! Chwarddodd Robin. Na, roedd y ffugenw'n ei fodloni i'r dim. Roedd yn addas; yn hynod addas! A beth am deitl y gyfrol? *Siarad Cyfrolau*. Oedd, roedd yn deitl gwych, chwarae teg i'r hen Llinos!

Fedrai o ddim disgwyl i weld y beirniaid yn syllu mewn anghrediniaeth wrth weld dyn yn codi ar alwad y corn gwlad! Fu gan Robin erioed ddiddordeb mewn trawsrywedd na dealltwriaeth ohono chwaith. Iddo fo, dyn oedd dyn a'r dyn yn feistr. Ond roedd 'na dipyn o hwyl i'w gael yn ddistaw bach wrth smalio mai dynes oedd o. George Eliot o chwith myn diawl! Gallai egluro, pan fyddai'r cyfryngau yn ei holi, iddo ddewis yr enw er parchus goffadwriaeth am ei wraig: y llenor a'r academydd, Dr Llinos Rhisiart. Byddai hynny'n siŵr o ddenu cydymdeimlad ac edmygedd y genedl gyfan. Ond rhoi'r cart o flaen y ceffyl oedd hyn. Amynedd. Gofal. Ffocws.

Estynnodd am y pren mesur fel y gallai ganolbwyntio, un llinell ar y tro. Dechreuodd ddarllen ei Magnum Opus. Ac yntau'n meddwi ar y geiriau, yn dotio at gyfoeth y dweud, yn rhyfeddu at strwythur tyn y stori, fferrodd Robin wrth glywed sŵn tap tap tap. Credai am funud mai clecian teipiadur oedd o, ond wedyn sylwodd ar rywbeth trwy gornel ei lygad. Cododd ei ben o'r ddesg. Roedd y gigfran yno'n bla o blu yn taro'r gwydr â'i big yn watwarllyd gan syllu arno eto drwy gwarel hirsgwar y ffenest. Roedd fel pe bai wedi ei ddal mewn ffrâm, fel pe bai'n 'bwrw barn ar bawb'.

Gyda sŵn car Branwen yn pesychu i fyny'r allt, hedfanodd y diawl deryn castiog i ffwrdd. Am y tro.

Doedd Robin erioed wedi bod yn un da am ddyfalu oed neb, yn enwedig oed merched. Tybiai wrth astudio Branwen ei bod o gwmpas y deugain oed, ond wedyn fe allai fod bum mlynedd yn iau neu'n hŷn. Roedd hi'n ifanc i fod yn olygydd, ac yn arbennig yn olygydd ar awdur o'i oed a'i brofiad o. Enghraifft arall o'r oen yn dysgu i'r ddafad bori, myn diawl. Mynnodd o'r dechrau ei bod hi'n rhoi'r gorau i'w alw'n 'chi'. Roedd hynny'n gwneud iddo deimlo'n hen gant.

Doedd hi ddim yn arbennig o dlws. Roedd ganddi goesau da. Weithiau, wrth iddi ystwyrian ar y soffa isel o'i flaen, dyheai iddi symud eto er mwyn iddo gael gwell golwg, cael gweld y tu hwnt i'r pengliniau bach twt. Gallai guddio'r ffaith ei fod yn sbecian drwy edrych ar adlewyrchiad ei choesau hyfryd yn llun Elfyn Lewis ar y wal gyferbyn. Doedd o 'rioed wedi medru gwneud na phen na chynffon o'r darlun yr oedd Llinos wedi dotio arno. Doedd o byth yn siŵr oedd y llun a'i ben i lawr ai peidio. Rhyw Jackson Pollock o lun y gallai plentyn ysgol feithrin ei greu o daflu paent o gwmpas y lle. Peth rhyfedd oedd chwaeth.

Tybed beth oedd hanes profiad Branwen gyda dynion? Ai dynion oedd ei diléit hi? Doedd dim posib dweud y dyddiau yma. Doedd ganddi ddim modrwy briodas. Siŵr na fyddai dynes ifanc fel hon yn ystyried dyn o'i oed o fel cyfaill rhyw. Tase hi ond yn gwybod faint o bleser gâi hi efo dyn mwy profiadol na llafnau ifanc di-glem yr un oed â hi. Oedd, roedd gan Branwen goesau hirion. Gallai eu gweld yn llanast paent Elfyn Lewis, a phwy a ŵyr pa ryfeddod oedd yn llechu yn eu pen draw. Llyfodd ei weflau a cheisio troi ei sylw'n ôl at ei pharabl byddarol. Roedd ei hacen hi'n anodd ei lleoli. Er defnyddio geiriau fel 'allan' a 'fyny', roedd ei hacen hi'n pendilio rhwng y De a'r Canolbarth. Lle ddiawl oedd hon wedi'i magu? Ar y Traws Cambria? Ar hynny, canodd ei ffôn bach. Gwelodd enw John BigEnd ar sgrin fach ei ffôn. Ymddiheurodd Robin i Branwen am y tarfiad ac atebodd yr alwad. Roedd o bron wedi anghofio am y Volvo. Bu'r car yn y garej ers dros wythnos yn cael rhannau newydd iddo. Roedd y car yn barod. Diolchodd Robin iddo a dweud y deuai i lawr i'r garej ddiwedd y prynhawn i nôl y car.

Tra bu Robin yn siarad â'i hen ffrind ysgol ar y ffôn, un o'i ffrindiau prin, roedd Branwen wedi bod yn craffu ar yr Olivetti wrth draed y soffa. Roedd Robin wedi bwriadu cadw'r teipiadur cyn iddi gyrraedd, ond roedd *Siarad Cyfrolau* wedi dwyn ei holl sylw. Diffoddodd ei ffôn. Ymlaen yr aeth Branwen â'i chwestiynu diflas. Oedd e'n defnyddio teipiadur? Onid oedd e'n ffordd eithaf rhwystredig o geisio creu? Bla blydi bla.

'I'r gwrthwyneb, 'mach i. Mae llawer o weithiau llenyddol mwyaf yr ugeinfed ganrif wedi'u creu ar deipiadur. Dyna ti nofel Ray Bradbury, *Fahrenheit 451*, wedi'i sgwennu ar deipiadur ar rent o lyfrgell. Ernest Hemingway yn un arall...'

Cododd Robin i estyn y llun ar y biwrô o Llinos ar ei gwyliau yng Nghiwba. Eglurodd i Branwen i'r ddau ohonyn nhw fynd i Finca Vigía, cartref Hemingway yn Havana, rai blynyddoedd ynghynt. Mynd yno fel anrheg cymodi wnaeth Robin, ar ôl y tro cyntaf iddo'i tharo hi. Hepgorodd y bennod fach honno wrth adrodd yr hanes wrth Branwen, siŵr iawn. Bu gwyliau Ciwba'n dipyn o aberth iddo gan iddo gael ei fwyta'n fyw gan haid o fosgitos llwglyd. Mae'n rhaid ei fod yn dipyn mwy blasus na Llinos gan na chafodd hi'r un brathiad. Daeth Robin adref â'i goesau'n edrych fel pitsa.

Dangosodd Robin y ffotograff i'r olygyddes fach gan ddweud, 'Yn fan yma, ti'n gweld, y sgwennodd o ei weithiau mawr, gweithiau fel *For Whom the Bell Tolls* a *The Old Man and the Sea*. A wyddet ti, mi fyddai Hemingway yn arfer ysgrifennu ei waith ar ei draed o flaen ei deipiadur a hwnnw wedi ei osod ar silff lyfra uchel. Ac fel y gweli di, roedd y teipiadur yn dal yno pan aeth Llinos a finna yno. Royal Typewriter oedd o, nid Olivetti fel hwn.' Gallai Robin fod wedi ei haddysgu drwy'r prynhawn am rinweddau un math o deipiadur yn hytrach na'r llall.

Mynnodd Branwen fod y stori a'r llun i gael eu cynnwys yn ei hunangofiant. Fyddai dim problem clirio hawlfraint llun o'r fath gan mai Robin dynnodd y llun. Byddai ganddi hi dipyn mwy o waith gyda'r lluniau swyddogol o Llinos mewn amryfal seremonïau gwobrwyo. Aeth Branwen yn ei blaen i egluro ei bod hi'n deall ei bod hi'n dal yn ddyddiau cynnar ers y trychineb. Beryg y byddai'n anodd iddo ysgrifennu hunangofiant mor bersonol, ar adeg mor arswydus o drist yn ei fywyd. Ond gorau po gyntaf y dechreuai ar y gwaith a'i brofedigaeth mor ffres iddo. O brofedigaethau dyfnion yn aml iawn y deilliai'r gweithiau creadigol gorau.

Eglurodd Robin wrthi, a'i dafod yn ei foch, ei fod yn poeni braidd fod ei gyfrifiadur yn mynnu troi'r gair 'daeth' yn 'death' bob tro y byddai'n teipio. Onid oedd hynny'n rhyfedd? Doedd y broblem fach honno ddim yn codi efo'r teipiadur, wrth gwrs. Rhoddodd Branwen wên gydymdeimladol iddo a dweud fod geiriau'n gallu bod yn gysur; bod llawer o artistiaid yn cael eu hysbrydoli, eu symbylu i ysgrifennu gan farwolaeth. Ac efallai, mentrodd Branwen, o sgwennu ei hunangofiant, y byddai'r un pryd yn cadw Llinos yn fyw. Doedd Robin ddim yn hoffi'r holl bwyslais ar Llinos. Ei hunangofiant o oedd hwn, nid un Llinos. Ond gwyddai hefyd, gyda'r obsesiwn diweddar amdani, y byddai yna ddiddordeb mawr yn ei gyfrol.

'Ie...' meddai Robin, '... yn fy meddwl, mae hi'n dal yn fyw er 'mod i'n gwybod nad ydi hi'n bosib i hynny fod yn wir. Ond dwi'n teimlo'i phresenoldeb hi efo fi bob dydd ac ella, pwy a ŵyr, mai fy 'So Long, Marianne' i fydd, nid yn unig fy hunangofiant i, ond fy nheyrnged deilwng i Llinos druan hefyd.'

Edrychodd Branwen arno'n syn a bu'n rhaid iddo egluro hanes llythyr a chân Leonard Cohen i'w gyn-gariad cyn iddi hi farw. Roedd hon yn honni bod yn olygydd llyfrau, ond roedd hi'n amlwg nad oedd hi'n gyfarwydd â geiriau'r bardd o Montreal. Trawodd y stori dant gyda'i wrandäwr eiddgar. Sylwodd Robin ar ei llygaid yn llenwi'n llynnoedd a chlywodd hi'n dechrau snwffian. Roedd ganddo yntau ddawn adrodd stori wedi'r cyfan. Ac ie, ei hunangofiant fyddai ei 'So Long, Marianne'. Byddai'r darllenwyr, fel Branwen, yn ymateb yn llawn emosiwn ac yn ysu i ddarllen mwy o'i gampweithiau. A phwy a ŵyr na fyddai'n cyrraedd rhestr fer Llyfr y Flwyddyn? Byddai'n sicr o ennill gwobr Barn y Bobol heb sôn am y brif wobr!

Wrth i Robin roi llun Llinos yn ôl ar y biwrô, estynnodd am lun arall. Llun priodas Robin a Llinos. Roedd Llinos wedi rhoi'r llun hwn yn y drôr ers blynyddoedd, heb ymgynghori ag o o gwbl. Ond ar ôl ei diflaniad, fe osododd Robin y llun yn ôl ar y biwrô. Câi pwy bynnag ddeuai i'r tŷ weld pa mor hapus oedden nhw, ac yn bwysicach na hynny, pa mor olygus oedd o yn ei ugeiniau!

Gellid bod wedi dyddio'r llun yn o lew o agos o graffu ar ffasiwn y dillad. Roedd Llinos mewn ffrog wen laes a fêl i smalio ei bod hi'n bur a diniwed. Doedd dim posib dweud o'r llun ei bod hi wedi mynd rhyw bedwar mis ar y pryd. Siwt Robin oedd yn dadlennu'r cyfnod. Roedd yntau mewn siwt wen â fflêrs digon llydan ar y trowsus i alw chi arnyn nhw!

'Fedri di ddyfalu pa flwyddyn oedd hon, Branwen?' Chwarddodd Branwen wrth weld y llun. Ond doedd ganddi hi ddim syniad. Oedd gan hon ddim dychymyg o gwbl? Rhoddodd Robin gliw bach iddi hi gan led-fwynhau'r oruchafiaeth drosti.

'Blwyddyn y Jiwbilî?' Edrychai Branwen yn ddwl arno fo. Rhoddodd gliw arall iddi hi. 'Blwyddyn marwolaeth Elvis?' Dal i wenu'n wirion wnâi hi. 'Branwen fach, mae gen ti lot i'w ddysgu! 1977 oedd hi.' Dechreuodd Robin ganu'r gân 'Night Fever' ond doedd Branwen ddim i'w gweld yn gwerthfawrogi ei ganu na'i symudiadau awgrymog. Rhoddodd y gorau i'r canu gan ychwanegu, 'Fel y gweli di, dwi'n edrych yn union fel Barry Gibb ond bod fy ngwallt i'n dwllach na'i wallt o. A 'nannedd i sydd gen i, nid rhai smal fatha rhai Barry!' Cynigiodd Robin ei wên letaf iddi er mwyn iddi hi gael gweld mai ei ddannedd o oedd yn llenwi ei geg o hyd! Ond doedd o ddim yn gwbl argyhoeddedig bod hon yn gwybod pwy oedd y Bee Gees! Y fath anwybodaeth! Cyn iddi hi feiddio ei ddarbwyllo fel arall dywedodd wrthi'n bendant, 'Bydd RHAID i'r llun yma fynd i'r hunangofiant, yn bydd!' Wnaeth o ddim dadlennu i Branwen mai'r gân ar gyfer *first dance* eu priodas ar y diwrnod hwnnw yn 1977 yn eironig ddigon oedd cân Hot Chocolate, 'So you win again, Here I stand again, the loser...' Ond nid fo oedd y *loser* bellach. O na! Torrodd llais Branwen ar draws ei feddyliau,

'Ynglŷn â'r hunangofiant...'

Gwyddai Robin fod y wasg yn awyddus iawn iddo gwblhau'r hunangofiant. Onid oedd hunangofiannau'n gwerthu'n well nag unrhyw *genre* arall yn y Gymraeg? Wedi'r cyfan, cenedl fach go fusneslyd fu'r Cymry bach cul erioed. Mae'n siŵr y câi ymestyn fymryn ar y ffenest olygyddol pe bai amser yn ei drechu. Torrodd ar ei thraws hi gan ofyn beth yn union fyddai ei rôl hi fel golygydd. Roedd ei hateb yn ddoniol o ragweladwy a naïf,

'Fi yw eich... ym, dy bartner creadigol di. Yma i afael yn dy law di os mynni di gan dy helpu di i weud beth wyt ti eisiau ei weud yn y ffordd ore bosib. Fe fydda i fel rhyw ysbryd yn y peirianwaith.' Gwenodd Robin wên lawn finag ar ei hystrydebedd siwgwraidd. Oedd hon o ddifrif? Doedd o ddim ei hangen hi fel partner creadigol. Roedd ganddo rywun arall, llawer mwy cymwys i weithredu'r swyddogaeth honno. Ond doedd ei sylw nesaf hi ddim yn un y gallai Robin fod wedi ei ragweld, ac fe'i taflodd yn llwyr oddi ar ei echel.

'Dydw i ddim eisiau rhoi pwyse arnoch... ym, arnat ti...' Ceisiodd Robin guddio ei wên; byddai wrth ei fodd yn derbyn ei phwysau hi arno! 'Ond bydd rhaid dechre'r hunangofiant yn eithaf buan. Fe allai rhywun arall achub y blaen arnat ti. I ysgrifennu cofiant i Llinos.' Edrychodd Robin yn syn arni:

'Pwy? Pwy sy'n sôn am sgwennu cofiant iddi hi?' Doedd y wasg ddim yn gwybod. Gwnaeth hyn Robin yn hynod anghysurus ac amheus. Pwy feiddiai ymgymryd â'r fath dasg? Roedd gan Llinos gant a mil o edmygwyr, ond prin iawn oedd ei ffrindiau. Doedd ganddi 'run cyfaill mynwesol gwerth sôn amdano. Tueddai Llinos i'w neilltuo'i hun yn feudwyaidd i'w stydi, i'w llenydda. Yno y byddai hi o fore gwyn tan nos a thipian byseddell ei chyfrifiadur mor ddeheuig â dwylo medrus Llŷr Williams ar y piano. Aeth Branwen yn ei blaen,

'Mae'n wybyddus bod y wasg wedi cynnig comisiwn eisoes i weddw Llinos Rhisiart ysgrifennu hunangofiant fydde'n rhoi cipolwg, nid yn unig ar dy fywyd di, ond ar fywyd rhywun mor hynod â Llinos...'

'Ti ydi'r cyntaf i gyfeirio ata i fel "gweddw" Llinos...' Mwynhaodd Robin ei gweld yn cochi at ei chlustiau. Doedd dim byd yn fwy atyniadol gan Robin na gweld dynes yn cochi. Roedd yn arwydd o wyleidd-dra.

'Mae'n ddrwg 'da fi. Wrth gwrs, does dim corff...'

'Na, mae'n iawn, Branwen fach. Mae pawb yn gwybod ei bod hi wedi marw, ond yn gyndyn o gyfaddef. Dwi'n dallt yn iawn. Dw innau'n ei chael hi'n anodd. Mae 'na Domos ynddon ni i gyd. 'Dan ni angen gweld. 'Dan ni angen tystiolaeth. Ond rhaid derbyn, mae'n rhaid. A dyna pam y bydd sgwennu'r hunangofiant yma'n help i minnau hefyd. Mi fydd o, gobeithio, yn fath o gatharsis.'

Bu tawelwch am ennyd cyn i Branwen egluro eto fod peth brys, er mwyn sicrhau cyhoeddi hunangofiant Robin cyn cyhoeddi unrhyw gofiant cynhwysfawr iddi hi. Aeth Robin yn ei flaen:

'Pa hawl fyddai gan rywun arall i feiddio ystyried

ysgrifennu cofiant i Llinos? Pa hawl fyddai ganddyn nhw i ddwyn fy syniad i? Bydd fy hunangofiant i'n treiddio'n ddyfnach i fywyd Llinos nag unrhyw gofiant gan ddieithryn.'

'Maddeuwch i mi... mae'n ddrwg 'da fi... madde i fi, Robin, ond dyw ysgrifennu cofiant i rywun mor adnabyddus ddim yn syniad gwreiddiol.'

Roedd hon yn mynd i swnio'n debycach i Llinos a doedd Robin ddim yn gyffyrddus iawn â thrywydd newydd y sgwrs. Mae'n rhaid bod Branwen wedi synhwyro hynny. Cadwodd ei thabled electronig yn llawn ffrwst yn ei bag mawr lliw omlet, neu liw chwd. I Robin roedd y ddau liw'r un fath. Wnaeth o erioed hoffi wyau.

Sythodd Branwen ei sgert a rhoi ei llaw'n grib drwy gudynnau cynffon llygoden ei gwallt tenau. Addawodd Robin y byddai'n dechrau ar ei hunangofiant yn ddi-oed a chododd fel arwydd iddi adael gan roi'r llun priodasol yn ôl ar y biwrô. Roedd y wasg wedi ceisio ei ddarbwyllo wythnosau ynghynt mai cofiant i Llinos roedden nhw'n ei ffafrio, yn hytrach na hunangofiant Robin. Ond roedd Robin, gyda'i gyfaredd ddiarhebol wedi perswadio'r wasg mai trwy ei hunangofiant o y gellid dod i adnabod y gwir Llinos Rhisiart. A dyna gytunwyd. Ychwanegodd Robin y byddai ei hunangofiant o'n dra gwahanol i'r rhesi di-fflach a gyhoeddwyd yn y blynyddoedd diweddar: yr orielau o hen ddynion. Byddai hunangofiant Robin Richards wedi ei ysgrifennu mewn arddull wahanol iawn i'r arfer. Byddai'n batrwm o greadigrwydd, o gelfyddyd. Credai y

byddai'r hunangofiant yn elwa o gael ei drosi i'r Saesneg
hefyd. Wedi'r cyfan, fyddai'r Cymry byth yn cydnabod
mawredd neb tan eu bod wedi profi'u hunain y tu hwnt
i Glawdd Offa. Ond fe gâi gyfle eto i drafod yr agwedd
honno ar y gwaith. Un cam ar y tro. Pwyll pia hi.

Wnaeth Robin ddim mynd allan o'r tŷ i helpu
Branwen i droi trwyn ei char bach i anelu am y pentref.
Câi'r glomen fustachu ei hun i wneud hynny. Roedd gan
Robin bethau amgenach, llawer pwysicach i'w gwneud.

Fedrai Robin yn ei fyw ag ailgydio yn y gwaith. Teimlai fel pe bai holl gnonnod y greadigaeth yn glymau meddw yn ei ben. Roedd ymweliad Branwen Dafydd wedi ei anesmwytho, hynny ynghyd â phryfed y Tinnitus yn cwffio yn ei ben. A fyddai rhywun arall yn meiddio ymgymryd â gwaith mor bersonol? Ac os felly pwy? Ganddo fo roedd yr hawl dros fywyd ei wraig, doedd bosib? Oedd yna ryw Alan Llwyd o gofiannydd yn paratoi i gael ei fachau ar fywyd ei wraig? Ganddo fo, Robin, roedd y gwirionedd amdani hi, nid gan ryw gydnabod neu edmygydd o bell. Doedd dim amdani ond sicrhau fod y gwaith yn mynd rhagddo. Roedd amser yn brin.

Aeth i nôl y morthwyl a'r hoelion o'i focs tŵls yn y twll dan grisiau. Estynnodd am y goriadau o'r bachyn gefn drws. Fe'u gosododd ar fwrdd y cyntedd gan gau drws y twll dan grisiau'n ofalus. Cofiodd yn sydyn am yr Hobnobs ac aeth i'r gegin i'w nôl cyn mynd i'r lolfa i nôl yr Olivetti a chamu'n ôl i'r cyntedd. Cydiodd yn y tŵls a'r goriadau. Tynnodd y llen oddi ar y drws oedd yn cuddio y tu ôl i'r grisiau a throi'r goriad. Caeodd y drws yn ofalus y tu ôl iddo. Camodd i lawr y grisiau llechi tywyll at ddrws y seler. Rhoddodd y goriadau yn ei boced a phwyso cod rhif clo'r drws seinglos ar waelod y grisiau: 'G' am Genesis ac yna 8.6.7:

Ac ymhen deugain niwrnod yr agorodd Noa ffenestr yr arch a wnaethai efe. Ac efe a anfonodd allan gigfran; a hi a aeth, gan fyned allan a dychwelyd, hyd oni sychodd y dyfroedd oddi ar y ddaear.

Cododd Llinos fel bollt o'i gwely wrth glywed gwich cod y drws. Agorodd Robin gil y drws i wirio ei bod yn y safle priodol. Clywodd hi cyn ei gweld. Clywed clinc clonican y tsiaen o gwmpas ei phigwrn dryw bach yn cael ei lusgo ar hyd teils y carped; y carped rhad a osodwyd yn y seler bron i ddeugain mlynedd ynghynt i amsugno sain y drymiau. 'Munud y gwelodd hi'n sefyll, yn ôl y trefniant, â'i chefn at y wal a'i breichiau'n barenthesis am ei chorff, agorodd y drws led y pen a'i gau'n ddisymwth y tu ôl iddo. Roedd Robin wedi mynnu'r ddisgyblaeth hon wedi'r cythrwfl â'r teipiadur wythnos ynghynt. Roedd Llinos mewn ysbryd gwrthryfelgar bryd hynny a rhyw ddiawledigrwydd wedi cydio ynddi. Gwelodd ei chyfle prin i geisio dianc drwy daflu'r teipiadur trwm at Robin wrth iddo ddod â bag bwyd o'r siop iddi un bore. Synnwyd Robin gan gyflymder ei symudiad a hithau mor eiddil. Ond canfu ei chorff bach bregus nerth. Cythrodd tuag ato gan daflu'r teipiadur i'w gyfeiriad cyn gyflymed â charlam Anna Karenina at Iarll Vronsky yng nghanol nos. Methodd o drwch asgell gwybedyn. Peth gwantan fuodd hi erioed. Chwalodd y teipiadur yn rhacs gan wasgaru'r llythrennau'n lecsicon meddw ar hyd y llawr. Cydiodd Robin yn ei wraig a'i thaflu yn erbyn wal y seler. Disgynnodd fel sach o datws ar lawr ac eisteddodd Robin ar ei phen i'w hatal rhag symud.

Er iddo gael ei ddychryn gan ei hymddygiad, gwyddai Robin fod gofyn iddo gadw rheolaeth ar ei dymer. Roedd o'i hangen hi'n fwy nag erioed. Er ei heiddilwch, roedd ei gwytnwch hi'n parhau. Wedi i Robin sadio, ac iddi hithau ildio, sylweddolodd fod ei gweld yn gwylltio yn eithaf apelgar; yn ddigon bron iawn i godi chwant arno. Chwarddodd Robin wrth iddo'i gwthio ar fatres wynt adlen yr hen garafán a gwasgu ei bronnau'n grempogau yng nghledrau ei ddwylo. Gwthiodd ei ben-glin yn galed yn erbyn ei gwain. Er gwaethaf ei fymryn chwant, nid oedd caledwch yn ymffurfio mewn unrhyw ran arall o'i gorff. Canfu Llinos nerth o rywle gan ddefnyddio'i hewinedd na welsent siswrn ers talwm a chripio'i foch fel cath wyllt. Dyrnodd Robin hi nes ei bod yn gwbl lonydd ond yn dal yn fyw. Roedd y bitsh wedi tynnu gwaed. 'The typewriter is mightier than the sword, ia, Llinos?!' Gadawodd Robin hi'n ddiymadferth ar y gwely a chloi drws y seler. Roedd o wedi'i ysgwyd gan ei hymosodiad ffiaidd hi arno.

Cyn clwydo'r noson honno, bu Robin yn nyrsio'i foch. Daria hi! Daria'r bitsh! Sut oedd o'n mynd i egluro'r sgriffiadau ar ei foch wrth bobl? Pe bai ganddo gath, gallai smalio mai'r gath a'i cripiodd. Doedd dim amdani ond aros o'r golwg tan y byddai ei wyneb wedi mendio. Yn y cyfamser tyfodd ryw lun o farf i guddio'r dystiolaeth rhag ofn iddo gael ymwelwyr i'r tŷ. Chafwyd dim ymwelwyr, diolch i'r drefn.

Y noson honno, ar ôl ymosodiad ffiaidd ei wraig, eisteddodd yn y stydi'n pysgota ar hyd y we am deipiadur arall a chanfod un, o'r diwedd, ar eBay. Roedd teipiaduron wedi datblygu i fod yn bethau go boblogaidd yn ystod y blynyddoedd diwethaf. Roedd tipyn o fynd ar bethau retro'r dyddiau hyn, ond doedd gan Robin ddim diddordeb yn niwyg y peiriant. Y cyfan oedd ei angen oedd un oedd yn gweithio'n effeithiol a stoc go dda o ruban i fynd efo fo. Roedd y Remington Noiseless Portable yn apelio. Ond doedd dim angen un felly â'r seler yn un seinglos.

Byddai wedi hoffi cael un Smith Corona er parchus goffadwriaeth am y ffatri teipiaduron. Ychydig o bobl a gofiai am ffatri Smith Corona erbyn hyn. Cofiai Robin fynd yno efo Taid Port un prynhawn o haf a chyfarfod â'i gyd-weithwyr. Ond stori arall oedd honno. Ta waeth, mynd am un dibynadwy wnaeth o'n y diwedd. Ac roedd teipiadur gymaint saffach na chyfrifiadur. Er nad oedd signal o fath yn y byd yn y seler, doedd o ddim am adael dim i siawns. Byddai i Llinos fedru cysylltu â'r byd mawr y tu allan yn ergyd farwol iddo. Yr un noson canfu, wrth gymowta ar y we, Super Bow Shackle fyddai'n ffitio pigwrn bach tenau Llinos i'r dim. Chwarddodd wrtho'i hun. *Traed mewn Cyffion* go iawn!

'Gwna banad i mi, Llin,' meddai Robin yn dawel wrth iddo osod yr Olivetti newydd ar y bwrdd bach yn y seler. Tynnodd y morthwyl o'i boced i folltio'r teipiadur yn sownd i'r bwrdd fel na allai Llinos fentro ei daflu ato eto. Aeth Llinos yn ufudd a chloff at y sinc bach yng nghornel bellaf y seler a llenwi'r tegell; y tegell bach llwyd arferai fod yn eu carafán. Roedd Robin wedi llwyddo i werthu'r Sprite i gwpl ifanc oedd wedi bod yn chwilio am garafán ar gyfer y Steddfod. Roedd y gŵr ifanc yn fardd, yn fab i academydd. Dangosodd gryn addewid mewn talyrnau ac roedd yn cael ei gyfri, gan y gwybodusion, yn fardd i'w wylio. Cyrhaeddodd ei gyfrol gyntaf o farddoniaeth restr fer Llyfr y Flwyddyn y flwyddyn cynt ac yntau o dan ei bump ar hugain oed. Y diawl bach breintiedig.

Gwyddai Robin fod yna beth apêl, fymryn yn morbid ella, ond apêl yr un fath i'r bardd ifanc mewn prynu carafán fu'n eiddo i rywun o statws y Dr Llinos Rhisiart. Oedd y creadur bach yn meddwl y byddai'n etifeddu ei hawen hi o berchnogi ei charafán? Cyn ei gwerthu, gwagiodd Robin y garafán. Daeth â phethau defnyddiol fel y tegell, y tostiwr, y llestri, y microdon, y dillad gwely, yr oergell fach, y cyfan oll i'r seler; i nyth bach newydd ei wraig.

Trodd Llinos ei sgerbwd corff at Robin a'i gwg yn gyhuddiad. Cuddiodd Robin ei syndod o weld yr olwg arni. Craffodd arni hi'n iawn am y tro cyntaf ers iddo ddod i'r seler. Roedd ei llygaid yn holltau duon yn ei hwyneb cornbîff; un foch yn swigen fawr hyll, a'i chorff mor denau â sleis o Parma ham. Roedd golwg grotésg arni hi a'i chloffni'n brawf o rymuster ei ymosodiad yr wythnos cynt. Byddai'n rhaid iddo fod yn ofalus. Oedd, roedd hi'n iawn dangos iddi hi mai fo oedd y meistr, ond gwyddai fod arno ei hangen hi. Am ychydig beth bynnag.

Wrth i Llinos ofyn yr un cwestiwn a ofynnai bob tro y byddai'n mynd i'r seler i weld sut roedd y sgwennu'n mynd rhagddo, sylwodd ar y bwlch rhwng ei ddannedd. Mae'n rhaid ei fod wedi disodli dant pan wnaeth o ei disgyblu hi wythnos ynghynt.

'Pa ddiwrnod ydi hi?'

'Y diwrnod sy'n dilyn ddoe,' meddai Robin. Yna daeth y cwestiwn arall fyddai ar flaen ei thafod bob tro.

'Faint maen nhw wedi'u ffeindio hyd yma?' sibrydodd Llinos wrth estyn am gwpan a bag te wrth y sinc fach yn y gornel.

'Maen nhw'n dal ar wyth deg o gyrff. Go brin nawn nhw ffeindio mwy. Mi ddylet ti ddiolch i mi, Llin. Rw't ti'n saffach yn fan yma nag yn unman arall. Dwn i'm faint o ymosodiadau terfysgol sydd 'di bod ym Mhrydain dros yr wythnosau dwytha.'

Edrychodd Robin drwy gil ei lygad ar gefn Llinos yn crymu wrth iddi baratoi'r baned iddo. Mor wahanol oedd hi i Mair yn bustachu fel buwch feichiog o gwmpas cegin Dan y Coed.

'Sut mae fy hunangofiant yn dod yn ei flaen?' gofynnodd iddi.

'Gneud nodiada dwi'n benna. Dwi 'di bod yn aros am y teipiadur.'

'Dim esgus rŵan felly, nag oes, Llin!' gwenodd Robin arni. Ond mynegiant dim byd, diemosiwn gafodd o yn ôl ganddi.

Credai Robin yn ddiffuant iddo wneud ffafr â hi dros yr wythnosau diwethaf. Onid oedd ganddi ddigonedd o amser rŵan? Dyna'r unig beth oedd ganddi mewn gwirionedd, amser, a digon ohono. Câi astudio ontoleg hyd ddydd y farn. 'To be or not to be...' Un o'r llyfrau y gwnaeth Llinos gais amdano ers ymgartrefu yn y seler oedd *The Complete Works of William Shakespeare*. Cytunodd Robin am ei fod yn falch o gael ei le. Cytunodd iddi wneud cais am unrhyw lyfr, cyn belled â'i fod wedi ei ysgrifennu gan ddyn. Roedd y *Cyfansoddiadau a Beirniadaethau*'n ffitio'r categori hwnnw gan mai dyn oedd ei olygydd. Derbyniodd Llinos y gyfrol yn ei dwylo fel pe bai'n gafael ym Meibl Gutenberg. Llarpiodd gynnwys y gyfrol honno mewn dim o dro.

Roedd Robin o'r farn fod yr holl gyfrolau gan ferched a ddarllenodd Llinos ar hyd y blynyddoedd wedi llygru ei meddwl. Beth yn enw popeth oedd hi'n ei weld yn y Caitlin Moran wirion 'na? Hen hulpan os fuodd 'na un erioed! Ac roedd hi'n sicr wedi darllen gormod o waith merched rhyfedd fel Simone de Beauvoir. Onid oedd y wrach honno wedi sgamio'i ffordd i mewn i fywyd Sartre er mwyn cael sylw ac enwogrwydd i'w gwaith gwenwynig? Roedd honiad gwallgof rhai o'r ffeministiaid felltith mai Beauvoir wnaeth nid yn unig olygu ond mai hi a ysgrifennodd rai o brif gampweithiau Sartre yn brawf, yn nhyb Robin, nad oedden nhw'n llawn llathen. Doedd ryfedd i Sartre beidio â phriodi ei Simone. Mynnodd gael ei draed yn rhydd i fwynhau merched eraill, llai llethol.

Y tro diwethaf iddo ei holi yn y seler, dywedodd Llinos ei bod wedi darllen cyfrol Shakespeare hyd at ddiwedd ei hoff ddrama hi: *King Lear*. Cofiai Robin iddo gael ei ddiflasu hyd at syrffed y llynedd ar ôl i Llinos ddychwelyd o Lundain lle bu'n gweld cynhyrchiad Deborah Warner o *King Lear*. Roedd Llinos wedi ei gwefreiddio gan ei pherfformiad. Wrth gwrs ei bod hi, meddyliodd Robin. Onid dynes oedd yn chwarae'r brif ran? Yn ôl yr holl adolygiadau, gwnaeth yr hen Glenda Jackson joban go dda ohoni. Ond gallai Robin gydymdeimlo ag awgrym Dominic Cavendish yn y *Telegraph* mai rhyw elfen o 'feminist one-upmanship' oedd hyn i gyd.

Pan roddodd Robin gyfrol gweithiau Shakespeare i Llinos yn anrheg yn y seler, chafodd o ddim diolch ganddi hi, dim ond ei chlywed yn dweud wrthi hi ei hun ei bod am ailddarllen *Lear* cyn mentro cychwyn ar *Othello*. Doedd hi ddim yn awyddus i fynd o dan groen Iago. Ddim ar hyn o bryd. Ac roedd cymaint i'w gael o *King Lear*. Fel yr âi'r wythnosau unig heibio gallai Llinos uniaethu â'r thema o ddiddymdra. Ei mantra yn y seler oedd 'daw dim o ddim'. Roedd Robin wedi dechrau amau fod ei Cordelia o wraig wedi dal haint gorffwylltra Lear. Dywedodd wrthi am roi'r gorau i ddarllen y dramâu.

Roedd ganddi waith sgwennu ei hun i'w wneud, a hynny ar fyrder.

Clywed Llinos yn siarad ar y ffôn gyda golygydd un o brif weisg Cymru un diwrnod a blannodd hedyn y syniad iddo, y syniad eithafol. Daeth cynnig gan y wasg i Llinos ysgrifennu ei hunangofiant. Gwrthododd Llinos y cynnig. Pan orffennodd y sgwrs ffôn, gofynnodd Robin iddi mewn rhyfeddod pam yn enw popeth fu iddi hi wrthod. Credai Llinos, â'i gwyleidd-dra chwydlyd arferol, fod ysgrifennu hunangofiant yn arwydd o ddiwedd gyrfa awdur, cyn 'llithro i'r llonyddwch...' Byddai gwneud hynny'n arwydd bod ei ffynnon greadigol yn sychu; ei bod hi'n barod am y domen dail. Byddai'n parhau i ysgrifennu ei darnau creadigol tra medrai.

Fedrai Robin ddim deall. Byddai o wedi bod ar ben ei ddigon pe bai gwasg yn gofyn iddo fo ysgrifennu ei hunangofiant. Ond doedd dim arwydd fod hynny'n mynd i ddigwydd ac roedd hynny'n destun rhwystredigaeth enbyd iddo. A dyna ddyfodiad ei epiffani: cael Llinos i ysgrifennu nid ei hunangofiant hi ei hun, ond drafftio cofiant iddo fo y gallai o wedyn ei addasu'n hunangofiant gwerth chweil, yn ei enw fo. Os gallai actorion *Pobol y Cwm* gyhoeddi hunangofiannau, doedd bosib y byddai cynnwys ei hunangofiant o, gyda dogn o hanes Llinos wedi ei luchio i'r pair, yn rhagori ar hynny? Byddai'r gyfrol yn gwerthu fel slecs. Byddai yna ailargraffiadau di-ri a chiwiau diderfyn y tu allan i Siop yr Inc a phob siop lyfrau arall drwy'r wlad, a phawb yn disgwyl yn eiddgar am gael eu bachau ar ei gyfrol â'i lofnod o ynddi. Câi Llinos fod yn rhith-awdur dirgel iddo. Ei gyfrinach fach o. Ond sut goblyn y gellid gwireddu'r syniad? Roedd yn un uchelgeisiol tu hwnt. Roedd yn syniad peryglus. Ond roedd unrhyw berygl yn fwyd ac yn ddiod i Robin; yn rhoi blas ar fyw iddo.

Daeth gwaredigaeth iddo un bore ddechrau'r haf wrth wylio'r teledu. Roedd Llinos yn llegach yn y llofft yn ceisio dadebru ar ôl anhwylder ar ei stumog. Roedd hi wedi paratoi ac wedi pacio'n barod i fynd i Lundain ers y diwrnod cynt. Gwnaed trefniant rhyngddi a ffotograffydd ifanc disglair i'w chyfarfod yn ei chartref yng ngorllewin Llundain. Roedd Llinos wedi gweld ei gwaith mewn arddangosfa gan artistiaid newydd o gefndiroedd diwylliannol amrywiol. Bwriad Llinos oedd defnyddio ei Gwobr Dyfarniad Cymru Greadigol i wireddu prosiect llenyddol yn ymateb i'r ffotograffau hyn. Byddai'r prosiect yn tanlinellu pŵer y celfyddydau drwy groesi ffiniau diwylliannau eraill gan ddod â gwell dealltwriaeth o gyfuno'r diwylliannau hynny.

Roedd Robin, er nad oedd ganddo owns o ddiddordeb yn y prosiect, wedi gweld hyn fel ffordd go ddyfeisgar o ymateb i ofynion boncyrs ceisiadau grantiau o'r fath. Roedd o'n hen law ar ddarllen ceisiadau grantiau celfyddydol ers ei ddyddiau gyda'r Cyngor. Deallai'n well na Llinos arddull ceisiadau grantiau. Roedd angen defnyddio geiriau rhwysgfawr na ddeallai neb o fewn y Cyngor mohonynt gan daflu ambell i ddyfyniad astrus i'r pair. Iaith ddethol oedd hon; jargon; rhyddiaith farwaidd; un a apeliai at bŵer.

Onid oedd yn rhaid dangos wrth geisio am bob un grant fod y prosiect arfaethedig yn ticio'r holl focsys cynhwysol bondigrybwyll; bod y prosiect yn targedu amlddiwylliannau; pobl feichiog; pobl drawsryweddol; pobl anabl; pobl ddall; pobl fyddar; pobl â phlorod; pobl â gwallt coch; pobl ag atal dweud; pobl ddi-fflach; pobl ddi-hid...? Ni fedrai Robin yn ei fyw â deall obsesiwn yr unfed ganrif ar hugain â chyfartaledd. Ac onid oedd o, bore ddoe ddwytha un, wedi gorfod gwrando ar ddynion a merched duon ar Radio 4 a hynny am dair awr ar eu hyd?! Gwyddai o'u lleisiau mai pobl dduon oedden nhw. Nid mater o roi llwyfan i bobl oedd wedi'u tangynrychioli oedd hyn ond eu gorgynrychioli! Synnai o daten na fyddai'n ddeddf gwlad cyn hir i bawb 'gymryd pen-glin' cyn pob digwyddiad cyhoeddus. Nefi, roedd eisiau gras!

Rai dyddiau cyn y trychineb, roedd Robin ar fin gadael y tŷ i fynd i'r dre i gael gwadnu ei esgidiau. Gan fod ganddo duedd i gerdded ar ochr ei draed er mwyn osgoi rhoi pwysau ar y corn ar ei droed chwith, byddai gwadnau ei esgidiau'n erydu'n ddi-siâp o fewn dim. Eisteddai'r pâr fel dwy esgid feddw ar waelod y grisiau. Wrth iddo estyn amdanynt ac am oriadau'r car, gofynnodd Llinos iddo brynu ei thocyn dwyffordd i Lundain. Prynodd Robin docyn iddi, nid yn unig i Euston ond hefyd docyn trên tanddaearol yr holl ffordd i Latimer Road, yr orsaf agosaf, o fewn pellter cerdded i gartref y ffotograffydd. Roedd

Llinos, fel y rhan fwyaf o fenywod, yn anobeithiol am ganfod ei ffordd mewn lle dieithr ac yn gwbl analluog i ddarllen map! Dangosodd Robin iddi hi sut i gyrraedd yno o Euston: dal llinell las Victoria i King's Cross ac yna'r llinell binc, yr Hammersmith & City, i Latimer Road.

Bu Llinos ar ei thraed drwy'r nos y noswyl cyn teithio i Lundain. Cafodd boenau'n ei stumog. Doedd hi ddim mewn stad i deithio i Lundain y bore trannoeth a methodd â dal y trên. Roedd hi am weld a fyddai hi'n teimlo'n well erbyn canol dydd er mwyn cael trên hwyrach i Lundain.

Pan gododd Robin y bore canlynol a gweld y tŵr yn llosgi ar y teledu, gwyddai fod Duw, os oedd O'n bod, o'r diwedd ar ei ochr. Roedd Llinos hithau wedi llusgo ei hun yn llegach o'i gwely i wylio'r newyddion. Roedd hi'n syfrdan ddagreuol. Dyma'r tŵr oedd yn gartref i'r ffotograffydd. Gofynnodd Llinos am gael benthyg ffôn Robin er mwyn anfon neges ati hi i weld a oedd hi'n fyw. Roedd sgrin ffôn Llinos wedi malu'r tro diwethaf i Robin roi slap iddi hi, a doedd o ddim wedi cael ei drwsio byth er hynny. Cafodd Robin weledigaeth yn y fan a'r lle. Gwthiodd Llinos allan o'r lolfa. Edrychodd Llinos arno mewn penbleth.

'Tyrd efo fi. Mae gen i rywbeth i ddangos i ti,' meddai gan afael yn dynn yn ei garddwrn a'i harwain, os nad ei llusgo drwy'r cyntedd at y drws y tu ôl i'r grisiau a arweiniai at y seler.

'Be ti'n neud?' gofynnodd Llinos gan wneud ymgais wan i ddatgysylltu ei hun o'i afael gref. Agorodd Robin y drws ar waelod y grisiau a thywys Llinos i mewn i'r seler a'i gadael yno, gan gloi'r drws ar ei hôl. Sylwodd ei fod yn crynu. Beth oedd o wedi'i wneud? Ac yna dechreuodd chwerthin. Roedd y cyfan mor hawdd. Mor chwerthinllyd o hawdd. Hyd yn oed pe byddai Llinos yn sgrechian nerth ei henaid bach y munud hwnnw, nid oedd posib i'r undyn byw ei chlywed drwy'r drws a'r waliau seinglos. Roedd Robin wedi gosod cloeon ar ddrws y seler flynyddoedd ynghynt, er mwyn cadw ei git dryms a'i offer stiwdio yn saff rhag unrhyw ladrad. Arbedodd hynny gostau uchel y cwmnïau shiwrans. Pam na feddyliodd am hyn ynghynt? Roedd y seler yn lle delfrydol i guddio ei wraig gan ei chadw'n fyw a'i chadw'n brysur. Roedd yno sinc a thoiled a digonedd o le gan fod y seler yn rhedeg ar hyd y rhan helaethaf o waelod y tŷ. Yr unig beth nad oedd yno oedd ffenest, diolch i Dduw!

Gwyddai Robin fod carcharu rhywun mewn seler yn weithred eithafol, ond doedd ganddo ddim bwriad o'i lladd hi. Dim os nad oedd rhaid. Dim Marc Dutroux oedd ei enw. Doedd o ddim yn berson mor anfad â hynny. Onid oedd dosbarthiadau ysgol Sul Horeb wedi gadael rhywfaint o'u hôl arno?

'Munud y rhoddodd Llinos dan glo yn y seler, gwyddai nad oedd troi yn ôl. Roedd yn dal i grynu. Roedd yn gorfoleddu. Llanwyd ei holl dueddiadau narsisaidd ag iwfforia rhyfedd. Prin y gallai fyw yn ei groen. Safodd yn y lolfa i wylio'r teledu; i wylio'r newyddion. Gallai Llinos yn hawdd fod wedi bod yno, yn y tŵr. Roedd ganddo daleb y tocyn trên allai brofi ei bod wedi mynd i Lundain ddiwrnod y tân. Gwyddai hefyd, oherwydd toriadau'r Cyngor Sir, nad oedd yna gamerâu yn gweithio y tu mewn na'r tu allan i orsaf drenau'r dre. Rhagluniaeth fawr y nef! Roedd cyhuddiad wedi bod yn ddiweddar yn erbyn athro ifanc iddo dreisio disgybl ysgol ar y platfform. Ni fu'n bosib tystio i'r digwyddiad gan nad oedd y camerâu'n gweithio. Gollyngodd yr hogan ysgol ei chyhuddiad. Pwy oedd am goelio hen hogan bymtheg oed mewn sgert at ei thin beth bynnag?

Aeth Robin i'r llofft i chwilio am ffôn Llinos; y ffôn a fu ar y clwt ers dyddiau; y ffôn â'i sgrin yn gyrbibion. Ymataliodd rhag agor y sgrin. Go brin fod neb wedi cysylltu â hi ers dyddiau. Sathrodd ar y ffôn a dawnsio arno. Oni bai am y ffaith ei bod hi'n ddechrau'r haf, byddai wedi cynnau tân y lolfa i losgi'r diawl peth. Barbeciw! Fe wnâi farbeciw'r noson honno gan gynnig y ffôn bach yn offrwm i'r tân. Yr unig beth roedd o ei angen rŵan oedd cadarnhad fod y ffotograffydd wedi marw. Byddai ei gynllun a'i stori'n dal dŵr. Ni fu'n rhaid iddo aros yn hir. Enw'r ffotograffydd oedd yr ail enw i gael ei gadarnhau o blith y rhai fu farw yn y tân.

Ar hynny, cysylltodd Robin efo Dewi Jones yn yr heddlu i ddweud, mor emosiynol ag y gallai, ei fod yn credu, na, yn gwybod fod Llinos yn y twr; yn y tân. Roedd Dewi wedi bod efo Robin, yn rhan o griw o ddynion ar wahanol dripiau golff a rygbi ac wedi bod ym mharti penblwydd ffrind iddynt, sef John BigEnd. Doedd wiw i neb wybod beth ddigwyddodd yn y parti hwnnw na chwaith fod Dewi Jones o'r heddlu, o bawb, yn rhan o'r giwed y noson honno. Eglurodd Robin wrth Dewi a'r heddwas bach arall ddaeth efo fo i Argoed y noson honno fod Llinos wedi mynd i Lundain i gyfarfod â'r artist. Roedd honno wedi marw. Doedd o ddim wedi clywed dim smic gan ei wraig ers iddi deithio i Lundain. Doedd hi ddim yn ateb ei ffôn...

Fel y llusgai'r wythnosau heibio, gwelodd Robin iddo daro ar gynllun gwych. Llongyfarchai ei hun ar ei athrylith. Gwyddai o'r bwletinau newyddion fod amryfusedd mawr ynghylch nifer y cyrff yn y tŵr. Gyda thrychinebau mawr blaenorol, ni fu'r un raddfa o ansicrwydd. Roedd trychineb y fferi yn Zeebrugge wedi bod yn eithaf hawdd parthed cyhoeddi niferoedd y meirw gan fod cofnod wedi bod o faint yn union o deithwyr oedd ar ei bwrdd. Daeth i'r amlwg yn eithaf buan beth oedd cyfanswm y meirw yn Hillsborough hefyd. Ond roedd trychineb y tŵr yn wahanol. Wyddai neb i sicrwydd faint o bobl oedd yn byw yno; faint o bobl oedd yno'n aros neu'n ymweld ar noson y tân; efallai bedwar cant; efallai chwe chant. Go brin y byddai neb yn gwybod i sicrwydd faint yn union oedd ar goll neu y tybid eu bod yn farw. Gyda'r tân yn y tŵr wedi cynddeiriogi i dymheredd eithafol o 1,832 Fahrenheit, y gred oedd na fyddai hi fyth yn bosib adnabod y meirw i gyd.

Sylweddolodd Robin yn o fuan hefyd fod posibilrwydd cryf y gallai elwa'n ariannol, a hynny'n o sylweddol, o'r trychineb. Darllenodd mewn papur newydd ac ar y we fod bron i ddeng mil ar hugain o bunnoedd wedi ei dalu gan rywun er mwyn i enw plentyn fu farw yn y tân gael ei ddewis yn enw ar un o gymeriadau nofel nesaf Philip Pullman. Byddai ei hunangofiant, fel 'gweddw' Llinos Rhisiart, o'i gyfieithu i'r Saesneg, yn *bestseller*!

Daeth meddwl am yr hunangofiant â Robin yn ôl at ei goed. Roedd y teipiadur yn gaeth ac yn saff yn ei le. Cymerodd y baned gan ei wraig ac eistedd ar y gadair wrth y bwrdd a'r teipiadur. Cynigiodd Hobnob iddi, ond ysgwyd ei phen wnaeth hi. Siŵr ei bod hi'n anodd iddi fwyta a'i cheg yn chwilfriw. Brathodd Robin ei fisged a chlywed yr Hobnob yn crensian yn swrwd melys yn ei geg. Edmygodd grefftwaith y teipiadur. Roedd y morthwylion llythrennau yn ei atgoffa o bibau organ hardd Horeb. Roedd y teipiadur yn sownd i'r bwrdd rŵan. Doedd dim peryg i Llinos fedru ei ddefnyddio fel arf eto.

'Wyt ti'n mwynhau dy ryddid i sgwennu?' Edrychodd Llinos arno'n bŵl. Gallai Robin ddarllen ei meddwl ac ychwanegodd gyda dos ychwanegol o eironi dychanol: '*A Room of One's Own* go iawn, Ms Woolf! Onid dyma oeddet ti isio? Dy "neuadd fawr rhwng cyfyng furiau"? Cell a llonydd i sgwennu?' Eglurodd Llinos yn wantan fod angen cwmnïaeth er mwyn cael ysbrydoliaeth i ysgrifennu. Gwenodd Robin arni. 'Mae gen ti fi, cariad. Ac mae gen ti'r hen William Shakespeare!'

Mynnodd Llinos ei bod hi mewn stad o anorecsia llenyddol. Crefai am gwmnïaeth i fwydo'i hysgrifennu.

A hithau ar gyrraedd pen ei thennyn, roedd y briwsion sgyrsiau a gâi efo Robin pan ymwelai o â'r seler yn ymborth i aros pryd. Roedd maeth iddi o'r ymddiddan prin. Prif destun eu sgyrsiau oedd Robin yn ei haddysgu am unrhyw ddigwyddiadau neu gerrig milltir pwysig yn ei fywyd er mwyn iddi fedru eu cynnwys yn yr hunangofiant.

Bu'r wythnos ddiwethaf yn arteithiol o hir iddi hi. Mewn ysbryd o wallgofrwydd yn ei hunigedd, dywedodd Llinos iddi gyfeillachu â phry yn y seler. Edrychodd Robin arni hi'n syn. Sut ddiawl y llwyddodd pry i ddod mewn i'r seler? Welodd Robin erioed mo'r pry y taerai Llinos yn ddu las ei fod yno. Ai ffrwyth ei dychymyg oedd y pry? Eglurodd Llinos y byddai'n sgwrsio â'r pry; yn creu deialog dychmygol efo'r pry, yn chwerthin a chrio, yn chwerthin a chrio efo'r pry. Onid drwy lyfrau Mary Vaughan Jones y dysgodd Llinos i Beni Bins sut i ddarllen, ond bod hynny ddeng mlynedd ar hugain yn ddiweddarach na'i gyfoedion? Trwy ymgyfeillachu â'r Pry Bach Tew y trodd Beni Bins, a chenedlaethau dirifedi o'i flaen, lythrennau yn fydoedd.

Edrychodd Robin gyda pheth cydymdeimlad ar ei Sinderela drasig. Gwelodd rywbeth ar ei gwely a dynnodd ei sylw. Yno'n clwydo roedd aderyn bach papur. Aeth Robin ato a chododd yr aderyn cywrain yn ei law a'i edmygu. 'Gwell aderyn mewn llaw... Ti sy 'di gneud hwn, Llin?'

'Mae'n pasio'r amser.'

'Bechod na fasat ti wedi gneud rhai tebyg i hwn flynyddoedd yn ôl. Mi fyddai haid o'r rhain wedi bod yn addurn hyfryd yn ffenest Siop yr Inc, 'n enwedig pan lansiwyd yr ailargraffiad o *Adenydd*.'

'Dwi'n cofio rhywun yn trio 'nysgu fi i neud origami.'

Doedd gan Robin ddim cof o'i wraig erioed yn dysgu origami. Oedd hi'n dechrau ffwndro? Gwyddai fod carchariad unigol heb gyswllt â'r byd a'r betws yn gallu effeithio'n seicolegol ar rai. Mwy o reswm fyth felly iddo roi pwysau arni hi i fwrw ymlaen efo'r hunangofiant yn reit handi. Cyn iddi wallgofi'n llwyr.

'Gei di anghofio am dy origami, Llinos. Mae gen ti ddigon o waith efo'r teipiadur yma rŵan i gwblhau fy hunangofiant.'

Unig ateb Llinos oedd gofyn iddo faint o'r gloch oedd hi. Roedd hi wedi ymbil arno ers wythnosau i gael cloc yn y seler. Roedd peidio gwybod pa amser o'r dydd neu'r nos oedd hi, heb sôn am ba ddiwrnod oedd hi, yn ei llethu. Hysbysodd Robin hi ei bod hi'n ddydd Iau. Crefodd Llinos arno i ddod â chloc iddi hi. Fe gâi Robin yr aderyn papur yn gyfnewid am gloc. Byddai'n haws iddi ddisgyblu ei hun i ysgrifennu pe câi gloc. Gallai gysgu'n well o gael cloc. Roedd hi angen cloc. Roedd rhaid iddi gael cloc. Byddai'n gwybod wedyn ai dydd ynte nos oedd hi. 'Tyrd â chloc i mi Robin, ac fe gei di'r deryn bach.'

Gwenodd Robin. Roedd naïfrwydd pathetig aderyn bach yn perthyn i'w Llinos anniddig druan. 'Pa ots os ydi hi'n ddydd ynte nos, Llin? Gwaith y nos y dydd a'i dengys.' Ar hynny cofiodd un o ganeuon Andy Gibb a dechreuodd ganu,

'Take it from me,
If you give a little more than you're asking for
Your love will turn the key...'

Edrychai Llinos yn syn arno. Cymerodd Robin yr aderyn bach. Wrth nesu at ddrws y seler dywedodd wrthi, 'Ddo i yn ôl fory, Llin. Ga i weld faint o waith fyddi di wedi ei wneud ar fy hunangofiant a gawn ni weld wedyn os fyddi di'n haeddu dy gloc.'

'Paid â mynd, Robin! Aros am ychydig hirach.'

'Mae gen i betha i'w gneud, Llinos. Ac mae gen titha hefyd.'

'Mae hi'n ddydd Iau,' meddai Llinos, fel pe bai hynny o'r pwys mwyaf. Gwyddai Robin mai eisiau cwmni roedd hi. Roedd hyd yn oed ei gwmni o'n well na dim erbyn hyn.

'Ydi, mae'n nos Iau. Pa wahaniaeth pa ddiwrnod ydi hi?'

'Noson bins.'

'Ia.'

'Ei di â'r ddau fag sbwriel yna efo ti? Bin ailgylchu ydi hwnna ac mae'r llall 'di dechrau drewi'r lle 'ma.'

Cydiodd Robin yn y bagiau duon a bwysai yn erbyn y sinc a ffarwelio â'i garcharor,

'Tic toc. Tan toc! Tân dani, Llin!'

Agorodd y drws a'i gau a'i gloi'n sydyn. Gwrandawodd.

Yr unig sŵn a glywai wrth ddringo'r grisiau tywyll oedd siffrwd plastig y ddau fag du yn ei ddwylo. Crawciodd Robin ei chwerthiniad cras ond sobrodd wrth gyrraedd goleuni'r cyntedd.

Roedd darn o bapur fel pluen wen y cynffonwyr ar y mat sychu traed wrth y drws o flaen y cloc mawr. Bu rhywun yno tra bu yn y seler. Wnaeth rhywun guro'r drws? Canu'r gloch? Gollyngodd y bagiau bin ar waelod y grisiau a chodi'r darn papur. Ceisiodd ddarllen y geiriau â'r papur yn crynu'n ei law a'i galon yn pwmpio'n afreolus yn ei wddw.

Pylodd trydar adar y rhos. Rhewodd yr awen yng nghyfnos y ddawn; ac eto'n ddi-os pery'r llên, pery Llinos.

Roedd fel pe bai'r byd wedi arafu, fel pe bai'n pwyso'n rhy drwm yn y gofod. Teimlodd ei frest yn tynhau; fel pe bai o dan ddŵr yn brwydro i adfeddiannu ei anadl. Beth ddiawl oedd hwn? Pwy oedd yr awdur? Beth oedd ei arwyddocâd? Aeth drwodd i'r stydi. Gosododd aderyn papur Llinos ar y ddesg ac eistedd i ddarllen y darn papur eto. Ai barddoniaeth oedd hwn i fod? Estynnodd bapur a phensel o'r potyn wrth ei gyfrifiadur. Ceisiodd roi trefn ar y geiriau a gweld mai englyn o fath ydoedd.

Pylodd trydar adar y rhos. Rhewodd
yr awen yng nghyfnos
y ddawn; ac eto'n ddi-os
pery'r llên, pery Llinos.

Gallai Robin deimlo'r chwys yn cronni o dan argae
coler ei grys. Cododd sash y ffenest er mwyn tynnu
awel i'r stydi a chlywed rhaff y sash yn grocbren o wich.
Teimlai fel pe bai'n mygu. Eisteddodd yn ôl wrth y ddesg
i geisio cael ei wynt ato. Darllenodd y gerdd eto. Ceisiodd
gofio pwy fyddai'n dod i ddosbarthiadau cynganeddu
wythnosol y llwdn Llion Huws yn Siop yr Inc. Onid
dechreuwyr oedd yr hanner dwsin o *wannabees*? Fydden
nhw'n gallu llunio englyn cyfan? Ai Llion ei hun oedd
wedi cyfansoddi'r englyn? Roedd o wedi ysgrifennu
erthygl chwydlyd o ganmoliaethus a hiraethus am Llinos
yn rhifyn diweddaraf *O'r Pedwar Gwynt*. Neilltuwyd dros
hanner y cylchgrawn a phob cyhoeddiad Cymraeg arall i
Llinos yn dilyn y trychineb yn Llundain. Cafodd hi dipyn
o sylw yn y papurau cenedlaethol hefyd.

Roedd yna ryw 'Llinos hysteria' ar droed i'r graddau
y bu trafodaeth frwd yn ddiweddar ynglŷn ag enwi stad
newydd o dai ar gyrion Pont-henfelen yn 'Stad Llinos';
ac oedd, meddyliodd Robin, roedd tipyn o stad arni hi.
Byddai'n rhaid iddo geisio magu hunanddisgyblaeth.
Er mwynhau'r teimlad o oruchafiaeth wrth guro
Llinos, byddai'n dioddef o hunangasineb enbyd wedi
digwyddiadau o'r fath. Teimlad tebyg i'w arfer o fwynhau

yfed 'un gwydraid o bort' bob nos fyddai'n datblygu'n sawl gwydraid diflas arall yn amlach na heb. Roedd o'n benderfynol o beidio â throi fel ei dad. Nid dyna'r math o ddyn oedd o eisiau bod. Ond wedyn, nid ei fai o oedd hyn. Mi fyddai Llinos yn gofyn amdani weithiau. Pam na allai hi ddangos mymryn o barch tuag ato fo? Doedd o ddim yn gofyn llawer.

Doedd gan Robin fawr o amynedd efo'r stad arfaethedig oedd i fod i gael ei hadeiladu'r ochr arall i'r bont; lleoliad truenus o gorsiog ar gyfer unrhyw dŷ, gan y byddai'r llecyn yn aberth i lifogydd difrifol bob yn ail aeaf. Poenai'r protestwyr, rhai o fewnfudwyr y *smallholdings* bondigrybwyll ar ben y bryn, fwy am warchod byd natur na'r iaith Gymraeg. Roeddent yn gwaredu y byddai adeiladu stad o ddeg ar hugain o dai ychwanegol ar un o'r ychydig leiniau gleision gwastad oedd yn weddill yn y pentref yn fygythiad gwirioneddol i gyfoeth byd natur yr ardal. Doedd hynny'n poeni dim ar Robin. Yn ychwanegol at hynny tybiai y byddai gormod o'r tai yn bownd o fod yn 'dai fforddiadwy' – beth bynnag oedd ystyr hynny'r dyddiau yma; tai fyddai'n denu pob math o garidýms o bob lliw a llun i Bont-henfelen. Dim ond gostwng prisiau tai da fel Argoed wnâi hynny'n anffodus.

Ond Llion. Beth am Llion Huws? Un o edmygwyr mwyaf Llinos. Gwyddai Robin o brofiad personol nad oedd eiddigedd byth yn cysgu. Ond sut fyddai Llion wedi gallu gadael yr englyn yn Argoed ac yntau'n gaeth i'w sgwter? Neu a oedd ganddo ei latai personol?

Cododd a gadael y stydi gan frasgamu o gwmpas y tŷ fel adyn ar gyfeiliorn. Bu bron iddo faglu ar draws y bagiau bin. Eisteddodd ar waelod y grisiau. Cerddai amheuon fel pryfed ar hyd ei gorff. Estynnodd am y bag bin ailgylchu a'i agor. Daliwyd ei lygad gan aderyn papur â llawysgrifen traed brain coch arno:

Dwi'n fyw. Dwi yn seler Argoed. Help. Llinos Rhisiart.

Chwarddodd Robin. Dyna oedd ei gêm hi! Yr ast! Rhwygodd y darn papur yn gonffeti mân a lluchio'r cyfan at y papur sgrap yn y fasged wrth y lle tân yn y lolfa. Oedd Llinos yn meddwl ei fod o mor dwp â hynny? Roedd hi wedi canu arni hi rŵan i gael ei ffwcin cloc! Aeth yn ôl i'r cyntedd. Tyrchodd drwy'r bag eto rhag ofn ei bod wedi mentro ar ddarn arall o bapur, gan greu llanast o bapurach ar hyd y cyntedd. Na. Un ymgais fu ganddi. Peli papur crychion oedd y rhan fwyaf o gynnwys y bag bin ailgylchu. Ymdrechion pathetig Llinos i greu ei hadar origami. Fe wnâi Robin yn siŵr na fyddai hi'n mentro eto. Casglodd y sbwriel papur a'i stwffio yn ôl yn y bag bin. Clymodd y bag cyn dynned â'r clymau yn ei stumog a mynd yn ôl i'r stydi.

Eisteddodd ar y gadair troi rownd a darllen yr englyn eto. Trodd y gadair er mwyn cefnu ar y ffenest i gael mwy o olau ar y darn. Ymgollodd yn ei ymgais i'w ddadansoddi ac i ddyfalu pwy oedd awdur yr englyn i'r fath raddau fel na chlywodd sŵn yr esgidiau'n gwasgu'r gro ar hyd y llwybr at y tŷ. Dychrynodd am ei fywyd wrth glywed cnoc ar y ffenest. Pwy allai fod yn tarfu arno eto fyth? Trodd i wynebu'r ffenest. Ond roedd hi'n rhy hwyr. Roedd Mair wedi ei weld drwy'r ffenest. Beth ddiawl oedd hon isio eto fyth? Oedd hi'n benderfynol o'i rwystro rhag cwblhau unrhyw waith? Cododd gan stwffio'r englyn i'w boced ac ateb y drws gan regi dan ei wynt cyn iddi gael cyfle i ganu'r gloch.

'Fobin! Sofi i styfbio. Isio ymddiheufo am bofa 'ma. Mof ansensitif. Dwi wedi bod yn y dfef ac wedi pfynu hwn i ti fel ffodd bach.'

Sodrodd Mair focs *cafetière* newydd sbon yn ei ddwylo. Daria, oedd disgwyl iddo ei gwahodd hi i mewn i'r tŷ fel diolch? Y peth olaf roedd o ei angen rŵan oedd styrbans arall ar y gwaith oedd ganddo i'w wneud. Roedd ei feddwl ar chwâl. Oedd Mair yn barddoni? Ai hi oedd awdur y gerdd? Go brin.

'Diolch am feddwl amdana i, Mair, ond dwi 'nghanol gwaith, yli. Dedlein gen i neu mi faswn i'n dy wahodd di i'r tŷ. Bydd paneidiau coffi'n wych i 'nghadw fi'n effro.' Tybiodd Robin iddo weld awgrym o siom yn ei llygaid o weld nad oedd gwahoddiad iddi ddod i mewn i'r tŷ am goffi. Roedd hi'n amlwg i ddyn dall bod hon yn unig. Ond roedd yn llawer gwell gan Robin ei gwmni ei hun. Buasai'n well ganddo gwmni prysurdeb o chwilod mawr duon ar draws ei gorff noeth y funud honno na chwmni Maif Mofgan dfuan.

'Dyma i ti baced o goffi Ffef Tfade. Cofia bod isio o leiaf tfi munud i'f coffi fwydo.'

Diolchodd Robin iddi hi'n ffwr-bwt. Roedd o'n meddwl ei fod ar fin cael gwared arni, ond na, roedd hi wedi gweld y bagiau bin:

'Tisio fi fynd â'f bagia bin lawf i waelod yf af i ti?'

Gwrthododd Robin ei chynnig yn swta, esgusodi ei hun a chau'r drws. Tynnodd y *cafetière* mawr o'i focs a thaflu'r bocs ar ben y bagiau bin. Edrychodd ar y *cafetière* dur. Roedd eisiau nerth i godi'r diawl peth trwm. Gadawodd Robin y *cafetière* a'r coffi ar fwrdd y cyntedd. Go brin y câi lawer o ddefnydd ohono. Ymlwybrodd i'r stydi gan eistedd drachefn wrth y ddesg a gwylio Mair drwy'r ffenest yn mynd yn ôl i lawr y llwybr a'i chynffon rhwng ei choesau nobl.

Cafodd dipyn o syndod ei gweld yn oedi ar y gris olaf a throi i edrych arno. Cododd Robin ei law arni, ond dim ond gwag-rythu'n syn arno wnaeth hi. Ai ddim yn ei weld o oedd hi, ynte oedd yna awgrym o ddicter neu farc cwestiwn yn yr edrychiad gwag? Gwyliodd Robin ei sgert yn fflapio fel hwyliau blêr ar long wrth iddi ddiflannu heibio'r gwrych.

Bu'r diwrnod yn un ochenaid hir. Roedd ceisio cadw marwolaeth Llinos yn fyw yn dechrau dweud arno. Wedi i Mair adael, dechreuodd Robin ddarllen y nofel ar gyfer y Fedal Ryddiaith. Defnyddiodd adnodd *Find* eto i wirio cysoni ffurfiau. Ni chanfu wall nac unrhyw gamdeipio nac amryfusedd. Roedd Llinos gyda'i thrylwyredd arferol wedi gwneud ei gwaith yn dda.

Roedd *Siarad Cyfrolau* yn stori ryfedd. Ond beth wnâi neb â thestun diddychymyg fel 'Heddwch'? Dichon y byddai myrdd o geisiadau yn ymwneud â'r ddau ryfel byd. Roedd y degawd diwethaf o goffáu'r Rhyfel Mawr wedi esgor ar artistiaid yn baglu dros ei gilydd i greu gwaith ar ryw filwr neu frwydr bondigrybwyll. Ac os gwelai Robin unrhyw brosiect, cerdd neu basiant arall ar Hedd Wyn eto, byddai'n siŵr o sgrechian!

Dewisodd Llinos stori wedi ei hadrodd gan blentyn o'r enw Siwan, mewn cyfnod diamser. Cyfnod yn y dyfodol lle byddai merched, ar ôl geni eu plentyn cyntaf, a'u hunig-anedig yn ôl rheolau'r Fyddin Lwyd, yn cael eu defnyddio fel gweithwyr mewn ffatri ailgylchu gwastraff;

yn rhannol er mwyn eu cadw rhag cenhedlu mwy o blant. Roedd llyfrau a darllen wedi eu gwahardd yn y byd rhyfedd hwn. Gwae unrhyw un gâi ei ddal â llyfr yn ei feddiant. Ond roedd gan Siwan fach gyfrinach. Roedd ganddi un llyfr wedi ei guddio mewn ceubren yn y goedwig. Darllen y llyfr hwn oedd ei hachubiaeth, ei chyswllt â'i mam a'i dysgodd i ddarllen cyn iddi gael ei chipio gyda'r mamau eraill i'r ffatri.

Ymdebygai'r cyfan yn nhyb Robin i *The Handmaid's Tale*; nofel y perswadiodd Llinos o i'w darllen flynyddoedd lawer ynghynt. Roedd elfennau o nofel Margaret Atwood yn erotig iawn i Robin, er na feiddiai gyfaddef hynny wrth yr un dyn byw, ac yn enwedig wrth yr un ddynes. Byddai'n ddigon amdano yn yr oes wleidyddol gywir hon yr oedd mor anffodus i fod yn byw ynddi. Onid Llinos oedd ei Offred yntau? Roedd yna lawer i'w ddweud dros yr ordderch neu'r gywelyes neu pa bynnag derm a fynnai Bruce ei roi am *concubine*. Onid ffantasi pob dynes yn ei hiawn bwyll oedd cael ei meddiannu gan ddyn? Deuai delweddau hyfryd o aflednais i lenwi meddyliau Robin. Bu'n anffodus yn ei ddewis o wraig yn y maes hwnnw. Doedd hi ddim yn ufudd nac yn awyddus. Darllenodd frawddegau agoriadol y gwaith eto:

> Amser maith ymlaen, mae Siwan yn byw gyda'i thad
> ar gwr hen, hen goedwig. Dim ond olion yr hen, hen
> goedwig sydd yno bellach. Torrwyd yr holl goed yn ystod
> Oes y Llymder, pan oedd digonedd ac eto dim digon, pan

oedd ei rhieni'n blant ac eto'n hen bennau ar ysgwyddau ifainc.

Y bore hwn, mae Siwan wedi cynhyrfu. Daeth y diwrnod mawr, diwrnod ei phen-blwydd, y diwrnod hwnnw, unwaith y flwyddyn, mae hi'n cael caniatâd ganddyn Nhw i fynd i ymweld â'i mam.

"*Siwan! Siwan!*"
*E*rs rhai oriau, bu'r tad yn chwilio amdani.
*L*oes calon i'w thad oedd ei gweld ar ei phen ei hun.
*E*drychodd arni cyn galw arni i ddod ato.
*R*oedd hi'n dlws...

Amser y ferf oedd yn poeni Robin. A ddylai newid y frawddeg gyntaf i:

Y bore hwn, roedd Siwan wedi cynhyrfu?

Ond onid dyna'r holl bwynt? Onid oedd Llinos yn ceisio darlunio cyfnod diamser? Roedd gallu Robin i ganolbwyntio yn dechrau pylu. Roedd yr englyn yn parhau i'w bigo. Gadawodd y gwaith. Gallai'n hawdd ailgydio yn ei dasg ar ôl swper.

Â'r prynhawn hir o'r diwedd yn tynnu at ei derfyn, aeth Robin i'r gegin i dywallt gwydraid helaeth o bort yn barod am ei ddogn beunyddiol o *Pointless*. Ni feiddiai gyfaddef wrth neb ei ddiléit o wylio'r rhaglen na chwaith gyfaddef iddo'i hun bod *Pointless* yn ffordd o wadu ei unigrwydd yntau ar ddiwedd dydd. Pan orffennodd y rhaglen sylweddolodd Robin nad oedd wedi gallu canolbwyntio dim ar raglen y byddai'n arfer medru ymgolli ynddi. Nid oedd ganddo gof chwaith o yfed ei bort. Ond rhaid ei fod wedi gwneud gan fod ei wydr yn wag ar wahân i'r misglwyf o waddod yn ei waelod. Perswadiodd ei hun i godi o'r soffa. Hunanddisgyblaeth. O na fyddai ganddo hunanddisgyblaeth ei wraig.

Dechreuodd roi trefn ar y tŷ. Cliriodd y fasged bapur a thywallt ei gynnwys i fag bin arall. Gwagiodd fin bach y gegin a pharatoi i fynd â llond bag sbwriel a'r bag ailgylchu oedd ar waelod y grisiau i'r llwybr ar waelod yr ardd. Estynnodd am ei gôt. Agorodd y drws fel y trawai cloc y cyntedd gnul ei gloch chwe gwaith. Gwiriodd fod goriad y tŷ ym mhoced ei gôt a chau'r drws. Yno'n ei wylio eto, fel pe bai'n barod i ddwyn ei enaid, roedd y gigfran ar y bwrdd picnic, fel aderyn corff yn sbio lawr ei ffwcin phig arno. Doedd stampio ei draed fel cawr a thaflu'r bagiau sbwriel yn erbyn y gwrych ar waelod yr ardd ddim yn ddigon i ddychryn y diawl peth. Doedd o ddim am adael i'r bitsh aderyn ei anesmwytho. Roedd ganddo bethau amgenach i boeni amdanynt.

Cerddodd yn ei flaen ar hyd y llwybr i gyfeiriad y pentref. Roedd o angen clirio ei feddwl; cael trefn ar ei feddyliau blêr. A beth bynnag, roedd o angen mynd at ei ffrind i nôl y Volvo o Garej y Bont.

Penderfynodd Robin ddilyn y lôn las goediog yn hytrach na throi i lawr am lôn y pentref. Roedd pob cornel o'r pentref yn gyfarwydd iawn iddo fo. Ar wahân i'w gyfnod yn y coleg, doedd o erioed wedi byw yn unlle arall, dim ond ym Mhont-henfelen. Ond er gwaethaf hynny, roedd Robin wastad wedi teimlo fymryn fel dieithryn yn ei gynefin ei hun. Wyddai o ddim pam. Doedd o ddim yn teimlo ei fod yn perthyn i'r lle, nac i unlle arall 'tae hi'n dod i hynny.

Ceisiodd anwybyddu'r brain oedd yn cecru uwch ei ben. Gwnaeth y penderfyniad cywir wrth ddod ar hyd y lôn las. Roedd mwy o gysgod y ffordd honno ac roedd y cymylau duon oedd yn glais ar hyd y ffurfafen yn bygwth glaw. Ar hyd y llwybr hwn yr arferai Llinos gerdded bob bore am un ar ddeg o'r gloch, boed law neu hindda. Byddai wrth ei desg am hanner awr wedi chwech bob bore'n ddeddfol yn ysgrifennu, neu'n paratoi darlith neu anerchiad. Am un ar ddeg, ar ôl ei dogn beunyddiol o *Woman's Hour*, byddai'n gwisgo'i chôt, clymu'r sgarff fach dartan a brynodd ar Ynys Skye adeg rhyw gynhadledd bondigrybwyll ar lenyddiaeth Geltaidd am ei gwddw, tynnu ei beret bach coch am ei phen pe bai hi'n oer neu'n bygwth glaw, stwffio'i dwylo i bocedi'r gôt a brasgamu i lawr yr allt.

Byddai ei hugan fach goch yn ôl yn Argoed fel arfer toc wedi hanner dydd yn barod i baratoi pwt o ginio i'w fwyta o flaen newyddion un o'r gloch. Doedd Robin ddim yn hoffi'r sianel newyddion amser cinio. Roedd y person fyddai'n arwyddo ar gyfer y byddar yn ddigon i'w ddrysu. Tinnitus neu beidio, doedd o ddim balchach o wylio rhyw ddoli glwt yn gwneud stumiau o'i flaen. Yn syth ar ôl rhagolygon y tywydd, byddai Llinos yn encilio eto i ganol ei llyfrau yn ei stydi am weddill y prynhawn.

Doedd Robin ddim wedi bod ar hyd y llwybr hwn ers tro byd. O leiaf, o ddilyn y lôn las, gallai osgoi'r Post a'r Co-op a'i gwsmeriaid. Mae'n siŵr y byddai llafnau digywilydd Stad y Gors yn loetran yng ngheg drws y Co-op ac wrth yr arhosfan bysiau a'u hwynebau wedi'u cuddio dan gyflau eu crysau chwys blêr. Hyd yn oed pe gallai weld eu hwynebau sarrug, mae'n bur debyg na fyddai'n eu hadnabod. Roedd yna adeg pan fyddai wedi gallu olrhain achau'r rhan fwyaf o drigolion y pentref. Ond roedd Pont-henfelen wedi mynd yn lle dieithr gyda'i oglau eli haul o wyliau'r Pasg tan fis Medi, a'r bocsys *keysafe* ger drws bob yn ail dŷ yn arwydd o'r cynnydd syfrdanol diweddar mewn ail gartrefi. Lle gwahanol iawn oedd y pentref dioglyd hwn heddiw o'i gymharu â bwrlwm blynyddoedd ei blentyndod. Ers talwm roedd Pont-henfelen yn bentref go lewyrchus. Roedd pawb yn gyfarwydd â'r lle. Bu colli'r stesion a ffatri Berranti rai blynyddoedd yn ddiweddarach yn ergyd farwol a chollodd y pentref ei hunaniaeth yn llwyr bron dros nos. Doedd neb ond fisitors yn dod i'r pentref rŵan, ar wahân i ambell i garidým yn trio dianc rhagddo fo'i hun.

Daeth geiriau 'Rhodd Mam' yn ysgol Sul Horeb i gof Robin: 'Pa sawl math o blant sydd? Dau fath: Plant da a phlant drwg.' Chwarddodd Robin yn ddistaw wrth greu parodi gan ofyn iddo'i hun: 'Pa sawl math o Bont-henfelen sydd? Cymry tlawd a Saeson cyfoethog.' Cofiai ei fod yntau'n hanu o gefndir digon 'difreintiedig'. Difreintiedig. Blasodd Robin y gair. Gair a ddefnyddid yn llawer rhy aml gan y dŵ-gwdyrs dosbarth Canol Cymraeg felltith. Difreintiedig. Er, yn ddistaw bach roedd Robin wedi cyrraedd ei nod o gael ei dderbyn i'r clwb nawddoglyd hwnnw a siaradai â ffug gonsýrn am y 'difreintiedig'. Roedd y diolch am hynny mae'n siŵr yn rhannol i Llinos a'r ffaith iddo wneud rhyw lun o enw iddo fo'i hun o fewn Cyngor y Celfyddydau a gyda'i erthyglau obits. Ond ai difreintiedig oedd ei deulu fo? Doedd ei deulu o ddim yn arbennig o dlawd. Gwyddai fod ei dad â draenog ym mhob poced. Yr unig le y llifai arian cyflog Eric Richards oedd yn yr Eryr. Mor wahanol oedd ei fagwraeth o i un Llinos. Mi gafodd honno bopeth ar blât a llwy arian yn ei cheg.

Cofiai Robin fel yr arferai Llinos gwyno fod yna fymryn o damprwydd i'w weld yng nghornel ffenest fae lolfa Argoed. Tamprwydd?! Doedd gan yr ast *spoilt* ddim syniad! Byddai Anwylfa yn fagned i ddŵr ac yn y gaeaf byddai'r ffenestri'n cronni unrhyw ddŵr neu ager cyn rhewi'n gorn – y tu mewn a'r tu allan. Hyd yn oed ganol haf, byddai'r haul yn gyndyn iawn o ddangos ei wyneb yn agos at Anwylfa. Arferai Robin newid i'w ddillad yn y boreau o dan gynfasau'r gwely gan mor oer a llaith oedd ei lofft fach. Fyddai yna fyth ddŵr poeth chwaith. Roedd Eric Richards yn credu mai rhyfyg oedd defnyddio'r *immersion heater.*

Ac yntau'n ymgolli ym mriwsion ei atgofion, rhegodd Robin dan ei wynt wrth weld dyn yn dod ato ar gefn beic ar hyd y lôn las. Ar adegau fel hyn byddai yntau wedi gwerthfawrogi cwfwl am ei ben. Doedd o ddim yn awyddus i fân siarad â neb. Ffafriai lonyddwch. Cyfarchodd y beiciwr drwy nodio'i ben. Doedd o ddim yn ei adnabod, diolch i'r drefn. Oedd, roedd Pont-henfelen wedi mynd yn lle dieithr.

Tybiai Robin ei bod hi'n amser da i fynd draw at y garej ac y byddai hi'n gymharol ddistaw yno. Roedd Robin yn croesawu tawelwch y lôn las. Mor wahanol i ddyddiau'r rheilffordd pan ruai'r trenau drwy'r pentref. Er ei hoffter o drenau, roedd eu sŵn yn codi ofn arno'n blentyn. Cofiai ei dad yn ei geryddu am fod yn gymaint o fabi. Nid trenau'n unig a godai ofn arno'r pryd hwnnw. Roedd ei dad yn deyrn arno fo a'i fam. Cofiai iddo dramgwyddo un tro a'i dad yn arthio'n ffyrnig arno, 'Tynga lw na wnei di hynna eto'r diawl bach. Tynga lw!' Doedd Robin ddim yn deall beth oedd ystyr 'Tynga lw'. Swniai fel pryd Tsieinïaidd, er na chafodd Robin bryd Tsieinïaidd cyn cyrraedd y coleg. Bid a fo am hynny, llwyddodd ei dad, gyda strap ei felt, i'w gael i dyngu a thyngu hyd nes bod ei ben-ôl bach yn amrwd. Un o'r ychydig atgofion oedd ganddo am ei nain oedd pan fyddai hi'n rhwbio *calamine lotion* ar ei friwiau pan fyddai ei dad a'i fam wedi mynd i'r gwaith. Byddai oglau'r hylif pinc golau hwnnw'n mynd â fo'n ôl i Anwylfa, Station Terrace ar ei ben. Ond roedd y rhes honno o dai wedi ei dymchwel i wneud lle i fflatiau mawr hyll a'r adeilad hwnnw'n mynd â'i ben iddo yn barod, er nad oedd ond oddeutu ugain oed.

Doedd dim sôn am neb ar y lôn las erbyn hyn. Roedd hynny'n rhyddhad enfawr i Robin. Pryd oedd hi'n weddus iddo fynd allan neu fentro mwynhau ei hun? Peth cymhleth oedd y busnes galaru 'ma. Ac yntau ynghanol rhyw fonolog fach fud efo fo'i hun, gwelodd gath ddu ar ganol y llwybr o'i flaen yn gwledda ar berfeddion sguthan. Ai hon oedd y gath a welsai'r bore hwnnw, tybed? O na bai hi'n dod i Argoed i setlo'r brain unwaith ac am byth! Roedd ganddo ddigon ar ei blât heb gael y blydi brain yn bygwth nythu yn ei simdde a chreu llanast. Cododd y gath ei thrwyn o ymysgaroedd y sguthan i edrych arno am eiliad. Dim ond eiliad, cyn troi ei sylw yn ôl at y wledd o'i blaen. Doedd neb am ddifetha'r pleser hwnnw iddi hi. Pasiodd Robin hi gan wneud nodyn bach meddyliol i ymchwilio i'r posibilrwydd o brynu cath maes o law. Daeth i olwg adeilad hardd yr hen stesion a rhyfeddu, fel bob tro, at ei batrwm o frics melyn a'r mymryn brics cris-croes coch yn addurno ei dalcen.

Gwelodd wraig ganol oed mewn *chinos* golau a thop *Breton* streipiau glas a gwyn yn chwynnu ei photyn planhigyn dail bae o flaen yr hen stesion. Addaswyd yr adeilad yn chwaethus flynyddoedd ynghynt a hynny'n dri neu'n bedwar tŷ. Roedd Robin yn rhyw led-adnabod y ddynes. Cofiai hi'n pori drwy rai o'r cyfrolau Saesneg ar silffoedd Siop yr Inc unwaith neu ddwy. Doedd ganddo ddim cof ohoni'n prynu dim chwaith. Tybiai'n siŵr fod Llinos wedi sôn amdani rywdro. Onid artist o fath oedd hi? Roedd gan Robin ryw gof i Llinos ddweud iddi fod yn *window dresser* i Mappin & Webb yn Llundain pan oedd hi'n iau. Gwawriodd arno'n sydyn mai hi oedd wedi gadael dysgl fawr o *lasagne* ar stepen y drws iddo rai dyddiau ar ôl y tân yn Llundain, gyda'r nodyn:

'Warm in the oven 180°C for a good 25 minutes. Leave dish on doorstep when you've finished. Florence Riley, 2, Hen Stesion.'

Mair aeth â'r ddysgl yn ôl iddi hi, os cofiai'n iawn. Ar y pryd, doedd o ddim wedi deall pwy oedd Florence Riley. Roedd llawer o bobl garedig wedi paratoi bwyd iddo'n ystod yr wythnosau cyntaf. Chafodd o erioed y fath dendans! Ond Florence Riley oedd yr unig un i fod yn ddigon ystyriol i adael llonydd iddo a gadael y bwyd ar stepen y drws gyda chyfarwyddiadau ar sut i'w goginio. Mor wahanol i Mair fyddai'n canu'r gloch byth a hefyd.

Er nad oedd ganddo fawr o awydd siarad efo Florence

Riley rŵan, gwelai nad oedd modd iddo ei hosgoi. Wrth iddo ddynesu gwelodd fod ganddi finlliw coch llachar ar ei gwefusau. Roedd hi'n ddynes smart ddangosai falchder ynddi hi ei hun, hyd yn oed wrth chwynnu a sgubo. Daeth ato i'w gyfarch. Sylwodd Robin fod ei sbectol lliw cragen crwban yn brin o un gwydr.

'Hi Mr Richards. Wind is picking up. Looks like rain.'

'So it does.'

'How are things?'

'Not too bad, thank you. Lovely building this. Full of history.'

Dangosodd y ddynes â'i sbectol anghymesur ei thŷ gan ychwanegu mai hi hefyd oedd bia'r tŷ pen. Byddai'n rhentu'r tŷ bychan i ffrind iddi hi fyddai'n dod ar ei gwyliau o Reading bob hyn a hyn. Pwy yn ei iawn bwyll ddeuai ar ei wyliau i bentref marwaidd fel hwn, meddyliodd Robin. Wedi dweud hynny, mae'n siŵr fod hyd yn oed Pont-henfelen yn baradwys o'i gymharu â thwll o le fel Reading.

Eglurodd Robin wrth Florence y byddai ei dad yn arfer gweithio yn yr hen stesion. Roedd hynny cyn i Beeching felltith ddod â'i fwyell i daenu amdo ei angau dros orsafoedd trenau'r wlad. Cofiai Robin na fedrai Eric Richards yngan enw Beeching heb achosi i boer ffiaidd ewynnu o'i geg ac i'w waed ferwi. Ond os oedd Beeching yn elyn ganddo, roedd ei dad yn hanner addoli Ceiriog; nid yn gymaint am ei ganeuon a'i gerddi, er y dyfynnai Eric Richards ohonynt yn gyson, ond oherwydd i Ceiriog fod yn orsaf-feistr y Cambrian Railway yn Llanidloes a Chaersws. Pan gyrhaeddodd ei dad oed yr addewid, penderfynodd Robin a Llinos fynd ag o am drît pen-blwydd i fynwent Llanwnnog. Cofiai fel y chwarddodd Llinos pan welodd yr englyn ar garreg fedd rwysgfawr John Ceiriog Hughes:

Carodd eiriau cerddorol, – carodd feirdd,
　　Carodd fyw'n naturiol;
　　Carodd gerdd yn angerddol;
　　Dyma ei lwch, a dim lol.

Roedd Eric Richards yn filain fod Llinos wedi chwerthin ar lan bedd ei arwr. Dylai hi ddangos parch at Ceiriog. Onid oedd y geiriau'n brawf o wyleidd-dra'r bardd? Ond wfftio'n haerllug ymhellach wnaeth Llinos. Doedd yna fawr ddim yn wylaidd am ryw *sbïwch arna i* o garreg fedd. Pwdodd ei dad am weddill y diwrnod. Doedd o a Llinos erioed wedi gweld lygad yn llygad. Byddai'n rhaid i Robin gadw golwg ar sut y byddai Llinos yn portreadu ei dad yn ei hunangofiant. Roedd peryg iddi ei ddarlunio'n un ystrydeb o drais, er y gwyddai Robin y byddai hynny, ystrydeb ai peidio, yn ddarlun go gywir ohono.

　　Diolchai Robin yn ddistaw bach na chafodd Llinos erioed gyfarfod â'i fam. Tybiai y byddai'r ddwy, o gael y cyfle, wedi ceisio cynghreirio yn erbyn Eric Richards. Ond doedd gan ei fam ddim ffrindiau mynwesol hyd y gwyddai Robin. Roedd Thelma Richards yn gawod oer o ddynes a ddewisodd beidio â dangos fawr ddim cynhesrwydd at ei hunig blentyn unig. Gwrthododd ddiwallu ei angen am loches rhag ei holl ofnau'n hogyn bach. Tybiai Robin heddiw mai'r ddiod oedd ei ffrind pennaf hi. Roedd ei hwyneb wedi'i ddifetha gan alcohol, gan drais a chan ofn beunyddiol. Roedd unrhyw arwydd o gariad gan ei fam mor brin â chyfreithiwr gonest. Ni ellid bod wedi cael enw mwy anaddas nag 'Anwylfa' ar eu cartref.

Bu Thelma Richards farw o waedlyn ar yr ymennydd cyn i Robin gyrraedd ei naw oed. Ni siaradodd ei dad amdani wedi ei marwolaeth. Rhaid oedd i fywyd fynd yn ei flaen. Peidio gwneud ffýs. Ni chafodd Robin erioed y cyfle i drafod ei golled. Roedd marwolaeth yn tabŵ. Bu'n rhaid i Eric Richards fod yn fam ac yn dad iddo wedi hynny. Feiddiai Robin ddim cyfaddef iddo fo'i hun mai diffygiol fu ymdrechion Eric Richards i gyflawni dyletswyddau tadol heb sôn am rai'r fam hefyd. Roedd geiriau cerdd enwog Philip Larkin yn atseinio yn ei ben wrth feddwl am ei rieni.

O ganfod tystysgrif priodas ei rieni rai blynyddoedd wedyn, wrth glirio'r cartref, sylweddolodd Robin mai cyw tin clawdd oedd o mewn gwrionedd. Ni chredai fod ei ddyfodiad i'r byd wedi bod yn destun gorfoledd i'r un o'i ddau riant. Fo, felly, oedd i'w feio am orfodi cau cwlwm priodasol llethol ar Eric a Thelma Richards, Anwylfa. Ailadroddwyd yr hanes efo fo a Llinos, ond heb etifedd yn eu hachos nhw, ysywaeth. Ond roedd gwaed yn dewach na dŵr. Aderyn brith ai peidio, fe wnâi Robin yn siŵr y byddai ei dad yn cael lle amlwg yn ei hunangofiant. Doedd o ddim am ei fradychu drwy gyhoeddi'r gwir amdano. Fe'i dyrchafai i fod yn ddyn cyn bwysiced ag unrhyw un o'r Lewisys ffroenuchel.

Roedd hi'n dân ar groen Robin fod capel Horeb, ar achlysur angladd Dr Llŷr Lewis, dan ei sang o'i gymharu ag angladd llai rhodresgar Eric Richards a fu farw dri mis yn ddiweddarach. Cydnabuwyd Dr Lewis fel un o bileri'r gymdeithas. Roedd yn fawr ei barch ym Mhonthenfelen a thu hwnt ac yn feddyg poblogaidd iawn. Cofiai llawer am ei ofal tyner o Mrs Alaw Lewis, Siop yr Inc, yn ei gwaeledd yn y misoedd cyn iddi hi farw o gancr y coluddyn bron i ddegawd o'i flaen. Byddai rhywun yn taeru mai nhw, ynghyd â Llinos – yr etifedd gwerthfawr – oedd y teulu brenhinol, myn diawl. Prin bump ar hugain o bobl, os hynny, ddaeth i angladd Eric Richards a bu'n rhaid i Robin fynd ar ofyn rhai o'i ffrindiau i fod yn archgludwyr er y tybiai nad oedd gan yr un ohonynt air da i'w ddweud am ei dad. Ni wastraffwyd yr un deigryn. Plygu pen mewn embaras yn hytrach na galar a wnâi'r rhan fwyaf o'r cynulliad ar y diwrnod hwnnw.

Cofiai Robin fel y byddai rhyw densiwn parhaol rhwng Llinos a'i dad. Gwyddai Robin fod Eric Richards yn ddyn a achosai densiwn ble bynnag yr âi. Ond tybed nad bai pobl eraill oedd hynny; pobl eraill na ddeallent gymhlethdodau ei dad? O fewn blwyddyn i'r wibdaith i Lanwnnog, roedd Eric Richards yntau 'gyda'r dail' a dewisodd Robin eiriau Ceiriog i'w rhoi ar ei garreg fedd:

Ti wyddost beth ddywed fy nghalon

'Would you like to come inside?'

Torrodd llais Florence ar draws ei fyfyrdod ac edrychodd Robin arni mewn syndod a chyffro. Doedd o ddim wedi cael gwahoddiad tebyg gan ddynes ers cyn cof!

'Would you like to see the house? I'd love to know more about the history of the station. There's so much romance around railways, isn't there? Do you remember the trains in Pont-henffelyn?'

Roedd hon wedi cymryd ffansi ato, mae'n rhaid. A phwy welai fai arni hi! Roedd o wastad wedi meddu ar y ddawn i ddenu sylw gan y rhyw deg. Credai Robin fod ganddo ryw garisma, rhyw lewyrch o'i gwmpas, a'i ffluwch o wallt claerwyn yn achosi i bennau droi i'w gyfeiriad. Dyna un peth oedd ganddo fo nad oedd gan Barry Gibb druan bellach – sef llond pen o wallt. Roedd gwallt yr hen Barry druan wedi dechrau teneuo. Rhedodd Robin ei fysedd drwy ei wallt wrth gysidro gwahoddiad y ddynes smart o'i flaen.

Gwerthfawrogai'r ffaith nad oedd hi, fel pawb arall, yn gwneud wyneb llawn tosturi ac yn holi am Llinos byth a hefyd. Fe hoffai'n fawr gael gweld y tu mewn i'r stesion. Ond oedd ganddo ddigon o amser? Roedd o wedi dweud wrth John y byddai'n mynd i'r garej y noson honno. I'r diawl â'r car, meddyliodd. Doedd hi ddim yn ddiwedd y byd os na fyddai'n cyrraedd y garej heno. Doedd o ddim wedi gweld colli'r car ers wythnos. Pa wahaniaeth wnâi un diwrnod arall? Byddai John yn deall.

Gwenodd ar Florence. Chwifiodd ei wallt yn ôl o'i wyneb fel pe bai'n dynwared stalwyn yn gwneud gorchest o'i fwng hardd. Derbyniodd ei gwahoddiad caredig yn ffug wylaidd. Cofio'r trenau? Bobol bach! Oedd siŵr! Roedd o'n cofio'r trenau'n dda. Uchafbwynt pob blwyddyn oedd trip ysgol Sul Horeb. Byddai pawb yn ymgynnull yn llawn cyffro ar y platfform yn eu dillad gorau'n 'ffoaduriaid undydd, brwd'. Byddai yna hen fynd ar y canu ar y trên; emynau gan fwyaf, ac ambell i gân go goch, pan fyddai'r rhieni a'r athrawon ysgol Sul y tu hwnt i glyw; fel arfer pennill fyddai'n gofyn am odl efo 'pont'. Robin fyddai'n cael ledio'r emyn oedd yn cynnwys ei enw. Mae'n rhaid iddo greu argraff achos byddai ei gyfoedion, flynyddoedd yn ddiweddarach, yn mynnu ei fod yn ei chanu mewn partïon meddw:

Mae'r Arglwydd yn cofio y dryw yn y drain,
Ei lygad sy'n gwylio y wennol a'r brain;
Nid oes un aderyn yn dioddef un cam,
Na'r gwcw na bronfraith na ROBIN goch gam.

Byddai pawb wedyn yn ymuno mewn pedwar llais yn y gytgan:

Rhown foliant i Dduw am ein cadw ninnau'n fyw...

Profiad rhyfedd i Robin oedd cerdded i mewn i'r hen stesion a'i oglau hiraeth. Roedd y gorffennol yn diasbedain yn ei glustiau er gwaethaf y gerddoriaeth jazz oedd yn cael ei chwarae ar beiriant yn rhywle a sŵn hwnnw'n merwino'i glustiau. Roedd Robin yn casáu jazz. Iddo fo, sŵn oedd jazz, nid cerddoriaeth. Byddai'n well ganddo wrando ar ei Tinnitus ei hun. Diolch byth, fe ddiffoddodd Florence y sŵn. Roedd y trywel oedd ganddi'n chwynnu ei photiau yn dal yn ei llaw. Gwnaeth Robin ymdrech i wneud jôc wrth iddo ddweud wrthi hi,

'You look dangerous with that in your hand. Am I safe on my own with you?!'

Rhyw chwerthiniad bach nerfus gafodd o yn ymateb i'w sylw smala a gosododd hi'r trywel ar y mat ger y drws. Roedd yna ryw swildod deniadol yn perthyn i hon, meddyliodd Robin gan lyfu ei weflau.

Roedd Florence yn byw yn y rhan helaethaf a mwyaf allweddol o'r orsaf, sef y brif fynedfa a lle bu'r swyddfa docynnau, y *waiting room* a'r cwt panad. Ni ddywedodd Robin wrthi hi y byddai ei dad yn gweithio'n hwyr yn aml er mwyn 'helpu' Anti Rhiannon yn y cwt panad, a hynny ymhell ar ôl i'r gwasanaeth paneidiau a byrbrydau gau.

Sylwodd Robin fod y ffenestri Fictoraidd wedi'u cadw a'u peintio mewn lliw llaeth enwyn cynnes oedd yn gweddu'n berffaith gyda'r brics melyn. Eglurodd Florence wrtho fod yr adeilad yn un rhestredig a bod amodau pendant wedi'u gosod wrth addasu'r hen stesion. O edrych allan drwy ffenest ei chegin, yng nghefn yr adeilad, dangosodd Robin iddi hi yn union ble y byddai'r

signal bocs wedi bod. Câi fynd yno'n hogyn bach o dro i
dro efo Yncl Wil, meistr y signal bocs.

Roedd hi'n bechadurus yn nhyb Eric Richards i signal
bocs Saxby & Farmer gael ei ddymchwel gyda chau'r orsaf
ddiwedd y chwedegau. Eglurodd Robin wrth Florence
mai peiriannydd oedd John Saxby yn ystod oes aur y
rheilffyrdd. Gwnaeth enw iddo'i hun ym maes signalau
rheilffyrdd. Arloesodd drwy ddyfeisio system cydgloi
pwyntiau a signalau rheilffordd. Fo oedd yn gyfrifol am
wneud rheilffyrdd Prydain gymaint mwy diogel. Mae'n
debyg y byddai gan Saxby fymryn o obsesiwn ag Eiddo
Deallusol. Heriai unrhyw gwmni fyddai'n amharchu'r
egwyddor honno. Aeth ag un cwmni i'r llys am dresbasu
ar hawliau ei batent. Ond colli'r frwydr ddrud honno
wnaeth Saxby druan. Peth anodd iawn, os nad amhosib,
oedd erlyn rhywun am ddwyn syniad, meddyliodd Robin
yn ddistaw bach.

Aeth Florence ag o i'r lolfa a'i le tân bendigedig.
Hon oedd yr hen *waiting room*. Yma, meddyliodd Robin,
y deuai cyplau ifanc i gael llonydd i ddod i adnabod ei
gilydd yn well, heb ddisgwyl am yr un trên. Taith arall
fyddai'n disgwyl y merched diniwed ddeuai yma liw
nos. Gwelai Robin ddarlun ohono'i hun yn ei feddwl yn
sbecian drwy gwarel ffenest drws y *waiting room* ar Kevin
Pritchard yn agor blows Ceinwen Hughes. Cofiai fel y bu
i'r olygfa achosi iddo deimlo ystwyrian rhyfedd yn ei falog
wrth weld ei bra bach gwyn pỳg hi. Bu'n breuddwydio
am wythnosau wedyn am gael Ceinwen Hughes iddo

fo'i hun. Os oedd hi'n fodlon i fwbach tew twp fel Kevin Pritchard chwarae efo'i bronnau, mi fyddai'n siŵr dduw o ddiolch iddo fo am gael gwneud.

'... And my utility room is down there in the basement,' meddai Florence gan bwyntio at ddrws bach ym mhen draw'r ystafell.

'Can I see it?'

'The basement?'

Nodiodd Robin a'i galon yn curo. Teimlai ei frest yn tynhau. Roedd yr isystafell yn cydredeg â'r hen *underpass* o dan y rheilffordd fyddai'n cysylltu'r ddau blatfform. Roedd hi'n rheilffordd trac dwbl. Eglurodd Robin wrthi y byddai'n cael ei hel weithiau gan ei dad i'r isystafell, i lenwi'r bwced glo ar gyfer lle tân y *waiting room*. Brwydr barhaus oedd cynhesu'r *waiting room*. Y drafftiau dan y drysau fyddai'n ennill bob tro.

Ddywedodd Robin ddim wrth Florence i'w dad ei gloi yn y storfa un tro am fod yn ddigywilydd. Ond tybiai Robin heddiw mai gwneud hynny er mwyn cael llonydd efo Anti Rhiannon wnaeth ei dad, achos fedrai Robin ddim meddwl beth oedd ei drosedd i haeddu'r fath gosb. Roedd ganddo gymaint o ofn yn nüwch y storfa lo, fe wlychodd ei drowsus. Pan ryddhawyd Robin o'i garchariad gwelodd fod hwyliau gwell ar ei dad, ond nid cystal hwyliau ar Anti Rhiannon. Credai Robin yn siŵr ei bod hi wedi bod yn crio. Cofiai fel yr edrychodd hi arno pan ddaliodd hi o'n rhythu arni. Roedd casineb yn ei llygaid cochion. Tynnodd ei dad ei ddwylo drwy ei wallt a sgleiniai'n ddu fel brân gan yr holl Brylcreem a gribwyd drwyddo bob bore a dweud wrthi'n swta, yn gwbl ddall i'w dagrau, am fynd adre. Aeth hi o'r stesion, ei thraed bach yn drwm, heb yngan yr un gair gan gau ei chôt wlân oren yn dynn amdani wrth fynd.

Pan ofynnodd Robin i'w dad ar y ffordd adre pam bod Anti Rhiannon yn crio, ei ateb yn syml oedd 'mai pethau fel'na oedd merched. Enigma i bawb, hyd yn oed iddyn nhw'u hunain. Roedd angen dysgu gwers iddyn nhw bob hyn a hyn, er mwyn eu rhoi nhw yn eu lle.' Roedd Robin ar dân eisiau gofyn i'w dad beth yn union oedd y wers honno. Ond wnaeth o ddim rhag iddo droi'r drol. Byddai'n well ganddo wneud yn fawr o hwyliau da byrhoedlog ei dad a chael mynd adre'n reit handi cyn iddo weld ei fod wedi baeddu ei drowsus.

Agorodd Florence y drws a rhoi'r golau ymlaen. Sylwodd Robin fod clo i'r drws a gofynnodd iddi hi a fyddai hi'n cloi'r drws weithiau. Trodd Florence i edrych arno braidd yn rhyfedd gan roi chwerthiniad nerfus. Dilynodd Robin hi i lawr y grisiau carreg i'r ystafell fach o dan yr adeilad. Roedd yr hen storfa lo bellach yn lân a'r waliau wedi'u peintio'n glaerwyn. Mewn un gornel roedd pentwr ar ben pentwr blêr o lyfrau. Yn y gornel arall roedd sinc, peiriant golchi, peiriant sychu, bwrdd smwddio a hors. Ceisiodd Robin osgoi edrych ar ddillad isaf Florence yn hongian yn bryfoclyd o'r hors uwch ei ben. Nid dillad isaf fel hyn oedd gan ei Llinos fach draddodiadol biwritanaidd. Roedd Florence yn gwisgo thongs! Dim ond dynes fyddai'n deisyfu neu'n chwilio am ryw fyddai'n gwisgo dillad isaf mor annigonol. Cofiai iddo geisio annog Llinos unwaith i'w gwisgo. Ei hymateb pig oedd eu bod fel gwisgo fflos dannedd am ei rhannau preifat. Ymatebodd Robin drwy ddweud o leiaf na fyddai yna oglau drwg arni hi wedyn. Ond wnaeth Llinos ddim gwerthfawrogi'r jôc. Ei anlwc o oedd iddo orfod priodi hen grimpan sych ddihiwmor oedd â'i dillad isaf ar rai adegau o'r mis yn ei atgoffa o oglau Sw Caer.

Roedd y Florence 'ma'n ddynes chwaethus o ddichwaeth. Câi Robin hi'n anodd peidio rhythu ar y wledd o'i flaen. Efallai i Florence deimlo rhyw anesmwythyd a dywedodd,

'Let's go up. Basements give me the creeps.'

'Me too,' meddai Robin dan wenu'n ffals.

Doedd seler fechan Florence ddim chwarter maint un Argoed, ac mae'n siŵr nad oedd hi'n seinglos gyda'r tŷ hwn yn sownd wrth y nesaf. Ond wedyn, doedd neb yn byw yn y tŷ drws nesaf, dim ond ffrind ddeuai ar wyliau'n achlysurol. Gwelai Robin bosibiliadau newydd. Diolchai nad oedd posib iddi ddarllen ei feddwl. Gwelodd y botel o Crozes-Hermitage ar fwrdd bach y lolfa. Roedd gan hon chwaeth o ran gwin yn ogystal â dillad isaf!

'Crozes-Hermitage! One of my favourites!' ebychodd Robin.

'I was saving it for later, but you're welcome to have a glass.'

'Oh goodness! I wouldn't want to deprive you of your

lovely wine!' meddai Robin yn ffug glên. Gwenodd hithau wên fflat ac estyn dau wydr o'r cwpwrdd.

Edrychodd arni drwy gil ei lygad gan edmygu amlinelliad ei chorff. I ddynes yn ei phumdegau hwyr, roedd hi, fel y stesion, wedi'i chadw'n dda. Agorodd Florence y botel, a thywallt y gwin i'r gwydrau. Wnaeth hi ddim tywallt llawer. Roedd hon naill ai'n gybyddlyd neu ddim yn orawyddus i rannu ei gwin. Cofiai Robin mai Vimto, nid gwin, yr arferai ei yfed yn yr hen stesion wrth ddisgwyl i'w dad orffen 'dysgu gwers' i Anti Rhiannon ar ddiwedd ei shifft.

Roedd o'n awyddus i ddod i adnabod y Florence 'ma'n well. Byddai'n braf cael cwmni. Roedd cynnal sgwrs efo hi'n hawdd. Teimlodd yn ddigon hyf, ar ôl yfed llymaid o'r gwin, i ddweud wrthi:

'Do you know that you've only got one lens in your spectacles?' Chwarddodd hithau'n nerfus wrth godi'r gwin at ei gwefusau cochion.

'Yes! I need to go and sort it out rather than pretend to be Cyclops!' Chwarddodd Robin efo hi cyn dweud,

'Do you know what? I haven't laughed for ages.'

'No, I'm sure you haven't. It must be difficult for you.' Gwenodd Robin arni. Roedd o'n eithaf mwynhau ei thosturi hi, ond doedd o ddim eisiau trafod y trychineb a diolch i Dduw, doedd hon ddim yn rhoi pwysau arno. Newidiodd drywydd y sgwrs. Holodd hi am ei gyrfa gan ychwanegu fod Llinos wedi edmygu ei gwaith, er na allai gofio'n iawn y funud honno beth oedd ei harbenigedd.

'I'm a book artist.' Crychodd Robin ei dalcen, ac aeth Florence yn ei blaen. 'I collect discarded books and find use for them through art. I have an exhibition currently in the Arts Centre in town.' Dyna oedd i gyfrif felly am yr holl lyfrau yn yr isystafell. Estynnodd Florence bamffled gan ddangos iddo enghreifftiau o'i gwaith. Roedd yn hynod gywrain. Roedd hi'n creu arddangosfeydd ar raddfa enfawr, a'r cyfan wedi'u creu o dudalennau print. Cydiodd ofn yng nghalon Robin. Mentrodd ddweud wrthi,

'It's beautiful. Is it origami?'

'Not really, although some principles of origami are involved.'

'Llinos was interested in origami.'

'Yes, I know. She came to a few of my sessions.'

'Sessions?'

'Yes. I held a series of daytime sessions in the Memorial Hall a few years ago. Llinos came to most of them.'

Roedd hyn yn newyddion i Robin. Pam na soniodd Llinos erioed wrtho, tybed? Mae'n rhaid ei bod wedi mynychu'r sesiynau yma pan oedd o'n cyfri'r oriau yn Siop yr Inc ac yn aros i wylio'r merched yn mynd a dod o'r Parlwr Pincio. Tybed pa gyfrinachau eraill oedd gan Llinos? Fe gâi'r gwir ganddi. Rhywsut neu'i gilydd.

Cododd o'r soffa Ercol yn ystafell fyw braf Florence ac esgusodi ei hun. Roedd ei ben yn troi fymryn, rhwng y port a'r gwin, ac yntau heb fwyta ers canol dydd. Roedd digwyddiadau'r diwrnod wedi ychwanegu at y teimlad o chwildod oedd wedi dod drosto mwyaf sydyn. Wrth adael yr hen stesion ffugiodd fod pryfyn wedi mynd i'w lygad. Gweithiodd yn berffaith. Daeth Florence ato. Gallai synhwyro persawr mwsgrosyn arni hi wrth iddi roi ei bysedd hyfryd o dan ei lygad i chwilio am y pryfyn. Doedd o ddim wedi cael bysedd dynes yn agos ato ers talwm. Teimlai ryw gynnwrf yn lledu drwy ei gorff. Cochodd Florence wrth iddo edrych arni ym myw ei llygaid a chamodd yn ôl oddi wrtho. Mae'n rhaid bod y pryfyn wedi hedfan i ffwrdd, meddai Robin wrthi gan barhau i syllu ar y ddynes smart o'i flaen. Trodd Florence oddi wrtho. Doedd 'na ddim teimlad tebyg yn y byd i'r un o gael dy wrthod gan ddynes pan oeddet ti'n gwybod yn iawn ei bod hi'n gagio amdano fo! Diolchodd Robin iddi am ei chroeso gan ychwanegu fod bywyd yn gallu bod yn o unig iddo. Daeth rhyw gwmwl dros ei llygaid. Oedd o wedi mynd yn rhy bell? Byddai'n rhaid bod yn ofalus efo'r ddynes hon. Roedd ganddo deimlad y byddai 'na dipyn o waith ei chael hi i ymlacio'n llwyr efo fo. Ond roedd Robin yn ffynnu ar her; her yr oedd yn benderfynol o'i goresgyn.

Yn hytrach na throi am adref, swagrodd Robin yn ei flaen o'r hen stesion i ben gogleddol y pentref tuag at yr afon. Roedd hi'n tynnu am wyth o'r gloch a'r gwyll yn dechrau taenu ei flanced dywyll yn raddol ar hyd tawelwch anghyfannedd y lôn las. Gallai glirio rhywfaint ar ei ben wrth fynd am dro. Oedd hi'n rhy hwyr i bicio draw i weld John? Roedd John yn ddigon hyf arno i ddweud os oedd hi'n anghyfleus. Tybiai fod John, fel yntau, yn gallu bod yn ddigon unig â'i ail briodas bellach wedi chwalu.

Problem Robin rŵan oedd ei fod, mae'n debyg, wedi cael gormod i'w yfed i yrru'r Volvo'n ôl i Argoed. Byddai yna amser pan fyddai wedi cymryd siawns a gyrru er ei fod wedi yfed. Ond doedd o ddim am fentro mynd i drwbl efo'r gyfraith. Dim rŵan. Gorau po leiaf o gysylltiad oedd ganddo â'r glas dan yr amgylchiadau. Ond nid eisiau gweld John ynglŷn â'r car oedd o erbyn hyn beth bynnag. Roedd ei orig fach efo Florence wedi rhoi syniad iddo. Roedd gwasanaeth bach arall y gallai John ei roi iddo, fel hen ffrind. Gwasanaeth go ddelicet.

Gadawodd ben draw'r lôn las a throi gyda'r afon am

y lôn bost a gweld hen fanc y Midland yn edrych yn druenus o'i flaen. Bu cwyno enbyd pan gaeodd y banc ei ddrysau, ychydig fisoedd ar ôl i Ellis a'i Fab gau eu siop hwythau, yr unig siop gig ym Mhont-henfelen. Yr unig fusnes a ffynnai yn y pentref bellach, ar wahân i'r Co-op a Garej y Bont, oedd Dai Death a'i fusnes angladdau. Roedd hwnnw'n fusnes llewyrchus tu hwnt. Roedd hyd yn oed yr Eryr ar werth, ond roedd wedi bod ar werth ers dros bum mlynedd. Pwy fyddai eisiau prynu tafarn mewn pentref ar ei liniau? Byw o'r llaw i'r genau wnâi Nigel a Helen yr Eryr gan foddi eu gofidiau yn optics y bar.

Pasiodd y cae pêl-droed a dod at gartref Disgwylfa lle bu ei dad yn byw am chwe mis olaf ei fywyd. Roedd Robin yn grediniol fod symud i'r cartref diflas hwnnw wedi cwtogi ei fywyd. Roedd y lle'n ddigon â thorri calon dyn. Buasai'n well gan Robin gael ei saethu'n farw na threulio ei flynyddoedd olaf yn eistedd mewn rhes o bobl hanner call a dwl yn glafoerio ym mharlwr dienaid Disgwylfa. Yr unig gysur o fod yno oedd mai Barbara, chwaer Sharon Siop, oedd yn rhedeg y cartref. Doedd hi ddim yn stynar fel ei chwaer, ond roedd hi'n soffa o ddynes ddigon dymunol i edrych arni. Credai Robin mai'r rhai llai deniadol oedd y rhai mwyaf hael, ac yn sicr y rhai mwyaf diolchgar. O'i brofiad o, ceid mwy o hwyl efo genod tew, twp a phlaen. Doedd ganddyn nhw ddim ffiniau. Roedd popeth ar y fwydlen, a'r popeth hwnnw'n rhad ac am ddim. Bu Dewi, ei ffrind o sarjant, yn mocha efo hi am sbel, ond wyddai o ddim oedd y berthynas fach honno'n dal i fynd.

Daeth at ddiwedd y lôn lle roedd sgerbwd Berrantis ar y bryncyn uwchben yn taflu ei gysgod hyll dros y llwybr. Bu sawl cynnig i newid defnydd yr hen adeilad dros y blynyddoedd, ond roedd y ffaith fod yr adeilad wedi'i lygru ag asbestos yn rhwystr ariannol i neb fentro ymgymryd ag unrhyw brosiect ar y safle. Dyma ble y bu ei fam yn gweithio'n rhan amser am gyfnod byr. Cofiai glywed ei nain yn sôn y byddai ei fam wrth ei bodd yn gweithio yno. Ymfalchïai Thelma Richards yn y ffaith iddi gyfrannu at greu cydrannau i setiau telifision yn barod ar gyfer y Coroni. Eironi'r sefyllfa oedd na ddaeth telifision i Anwylfa tan ymhell ar ôl i'w fam farw. Welodd hi mo'r Coroni. Wrth gwrs, roedd gan deulu'r Lewisys, ar y llaw arall, 'deledu' cyn bod telifisions yn bod! Nhw oedd y tŷ cyntaf ym Mhont-henfelen i gael 'teledu' lliw. Syrpréis syrpréis! Nhw hefyd oedd y cyntaf i gael *fitted carpet* yn hytrach na'r *linoleum* oedd ar loriau'r rhan fwyaf o dai'r pentref ddiwedd y chwedegau. Nhw oedd yr unig deulu fyddai'n yfed gwin efo'u cinio dydd Sul. Nhw oedd y teulu cyntaf i ddechrau bwyta taramasalata ym Mhont-henfelen. Pwy ddiawl oedden nhw'n feddwl oedden nhw? Roedd eu cofio'n nhw'n edrych lawr eu trwynau arno fo a'i deulu'n ddigon i ferwi ei waed.

Daeth Robin i olwg y garej. Roedd tipyn o lewyrch ar y garej er bod y pympiau petrol gweigion yn sefyll yn filwyr llonydd yn cysgu ar eu traed. Gwnâi John BigEnd ei fywoliaeth fras o werthu a thrwsio ceir. Er nad oedd yn gwerthu petrol ers blynyddoedd bellach, roedd y garej yn achubiaeth i drigolion Pont-henfelen. Y garej oedd eu hunig obaith o fedru gadael y twll lle rhyw ddiwrnod. Roedd hyd yn oed y gwasanaeth bysus wedi ei docio i'r byw yn sgil y toriadau, a'r ffordd osgoi a agorwyd ddeng mlynedd ynghynt wedi rhoi'r farwol i'r pentref.

Gwelodd Robin fod John eisoes wedi rhoi ei sbwriel yng ngheg adwy'r garej yn barod am y lorïau sbwriel fore trannoeth. Ond gwyddai Robin nad oedd gan John fawr o amynedd efo'r 'busnes ailgylchu gwirion yma' ac y byddai'n amlach na pheidio yn llosgi ei sbwriel a'i deiars yn yr iard gefn er mwyn cael eu lle.

Agorodd John y drws gyda gwydraid o Prosecco yn ei law.

'Be ffwc ti'n da'n yfed diod genod?' meddai Robin wrtho.

'Lle ti 'di bod? Ti'n mynd i orfod yfed llwncdestun efo fi'r cwd.' Gwelodd John y dryswch ar wyneb Robin ac ategodd,

'Llwncdestun i Huw!' Methai Robin yn lân â meddwl pa 'Huw' oedd ganddo mewn golwg.

'Huw Ellis, y bwtsiar?' gofynnodd. Chwarddodd John o waelod ei fol.

'Naci'r drong. Hugh Hefner. Mae o 'di marw.'

Eisteddodd Robin ym mharlwr blêr John yng nghefn y tŷ a chytuno i wlychu ei big, er nad oedd o'n ffan mawr o Prosecco. Ond doedd ganddo fawr o ddewis a'i ffrind yn benderfynol o godi llwncdestun iddo fo. Roedd Hugh Hefner wedi bod yn dipyn o arwr i'r ddau pan oedden nhw'n eu harddegau, a'r ddau'n eiddigeddus iawn o'i harem o gwningod bach brwd ac ufudd. O na chaent fyw'r freuddwyd fel Hefner; byw mewn dresing gown sidan a chael eu hamgylchynu gan ferched dof ond eiddgar! Ond eu camgymeriad nhw ill dau, meddai John, oedd iddyn nhw setlo am ferched a chanddynt ormod o frêns. Cyfuniad peryg. Wnaeth Robin ddim mentro herio'i ddatganiad. Go brin fod dewis John o ail wraig wedi ei wneud ar sail ei deallusrwydd. Roedd gan Monica Penbont gorff bendigedig, ond roedd hi fel styllen llawr o dwp. Prawf o'i thwpdra oedd iddi adael John BigEnd am ddyn llawer llai cefnog. A dyna rwbio heli ar friwiau ego ei ffrind gorau. Doedd Robin erioed wedi deall pam y bu i John ailbriodi ar ôl y chwalfa boenus gyda Delyth, ei wraig gyntaf. Ond efallai nad priodi er mwyn cariad wnâi rhai dynion, ond priodi er mwyn cael pŵer; er mwyn cael meddiant.

Gwyddai Robin fod ei ffrind yn dibynnu'n o drwm ar y ddiod feddwol i ddianc rhag ei broblemau personol; problemau a achoswyd, wrth gwrs, gan ferched. Ymateb John pan grybwyllodd iddo'r tro diwethaf y dylai arafu efo'r botel oedd dweud,

'I be mae dy iau di'n dda oni bai bo' ti'n iwsio fo!'

Chwerthin wnaeth Robin. Pwy oedd o i herio goryfed neb! Hedonydd fu John erioed. Roedd ei ffrind yn werth dipyn o bres y tu hwnt i'w fusnes ceir, meddyliodd Robin.

Byddai John yn casglu bob math o femorabilia. Rwtsh oedd y rhan fwyaf, ond roedd ganddo hen gopi ei dad o'r *Playboy* cyntaf a gyhoeddwyd yn 1953 gyda'r llun enwog o Marilyn Monroe ynddo. Ar y clawr roedd y geiriau:

'FIRST TIME – in any magazine – FULL COLOR – the famous MARILYN MONROE – NUDE'

Doedd y cylchgrawn ddim mewn cyflwr da gan fod yna dipyn o ôl bodio a blasu ei bleser arno. Ond gwyddai John y gallai gael ffortiwn fach amdano. Efallai y gallai gael hyd yn oed yn fwy rŵan fod y dyn a wnaeth gymaint dros ryddid rhywiol wedi gadael ei nefoedd fydol i rannu beddrod â Marilyn Monroe. Cofiai Robin iddo geisio prynu'r copi ganddo rai blynyddoedd yn ôl. Ond gwrthod gollwng ei drysor wnaeth ei ffrind pennaf.

Roedd Llinos yn gandryll iddo hyd yn oed ystyried prynu'r fath racsyn. Mynnodd Robin fod Hefner yn un o eiconau byd cyhoeddi'r ugeinfed ganrif. Roedd ei gylchgronau'n denu rhai o awduron gorau'r cyfnod, pobl fel Roald Dahl, John Steinbeck a Gabriel García Márquez. Roedd hyd yn oed arwr, sori, 'arwres' Llinos, Margaret Atwood, wedi cyfrannu stori i'r cylchgrawn! Dadleuodd Llinos fod yr awdures Ursula Le Guin wedi gorfod ysgrifennu ei nofelig *Nine Lives* gan ddefnyddio llythrennau ei henw, 'U. K. Le Guin', ar gais golygydd *Playboy* rhag ofn i'r ffaith ei bod yn awdur benywaidd wneud darllenwyr *Playboy*'n nerfus. Pan ofynnodd *Playboy* iddi hi am fywgraffiad, fe ysgrifennodd hi,

'It is commonly suspected that the writings of U. K. Le Guin are not actually written by U. K. Le Guin, but by another person of the same name.'

Methu a wnaeth Robin â darbwyllo'i wraig fod ceisio prynu copi cyntaf *Playboy*'n syniad da. Ond ni fu'n rhaid iddo ddyfalbarhau â'r frwydr fach honno gan i John wrthod yn lân a'i werthu iddo.

Roedd newyddion Sky ar sgrin anferthol teledu John yn gefndir i'w sgwrs. Ymddiheurodd ei ffrind fod y Volvo wedi bod yn y garej ers cyhyd. Roedd Dylan, un o'r mecanics, wedi ffeindio fod y disgiau brêcs cefn wedi cracio a bu'n rhaid archebu disgiau newydd. Archebodd y rhai anghywir a gorfu iddo ailarchebu. Dyna oedd i gyfrif am yr oedi. Cymerodd Robin y goriadau ganddo a dweud y byddai'n cerdded draw bore fory i nôl y car. Ar hynny dyma John yn chwerthin dros bob man o weld yr eitem ar y newyddion. Roedd Saudi Arabia wedi codi'r gwaharddiad ar ferched yn gyrru a chyfweliad rhwng y newyddiadurwr a dynes mewn *burkha*'n gyrru car.

"Sa'm yn well i'r bitsh dynnu'r ffwcin *burkha* iddi gael gweld lle mae'n mynd ffor ffycs sêcs! Hei Rob! Look at the eyes on her!' Chwarddodd Robin. Roedd John yn ei hwyliau gorau a'r Prosecco'n llifo.

Trodd Robin y sgwrs yn fwriadol i ddwyn atgofion am barti pen-blwydd John yn drigain bron i ddegawd yn ôl. Dechreuodd John biffian chwerthin fel hogyn bach drwg. Rhywsut neu'i gilydd, roedd John wedi llwyddo i ddenu a thalu yn o ddrud am flondan fronnog o Fanceinion i ddod i gynnig adloniant iddo fo a hanner dwsin o fêts dethol yn y Neuadd Goffa. Roedd o wedi talu i bwyllgor y Neuadd Goffa i gael goriadau'r neuadd am noson. Clowyd y drws. Tynnwyd y llenni. Bu'n rhaid i'r dynion i gyd oedd yno arwyddo dogfen a baratowyd gan Owen Thomas, y cyfrifydd yn eu plith, a Dewi'r sarjant, i gadarnhau eu haddewid am gyfrinachedd. 'What happens on tour...'

Daeth Dewi â dau o'i gyd-weithwyr i'r parti. Bu hynny o fantais fawr i Robin yn ddiweddarach wrth i'r heddlu bwyso am wybodaeth am Llinos ar ôl iddi hi ddiflannu. Tynnodd gerdyn annisgwyl allan o'i het drwy ddweud yn ddagreuol wrth Dewi pan ddaeth i'w holi ar ôl y trychineb, 'Dwi'n teimlo mor euog am gymryd rhan ym mharti John yn y Neuadd Goffa rŵan fod Llinos wedi marw. Wyt ti'n dallt, Dewi? Dim ond efo ti fedra i sôn am hynny.' Roedd hynny'n ddigon i gau ceg Dewi Jones gan roi stop ar yr holi di-baid.

Anrheg pen-blwydd John iddo fo'i hun oedd cael y ddynes, nid yn unig iddo fo'i hun, ond i'w rhannu gyda'i fêts, chwarae teg iddo fo, gan gynnwys y tri heddwas. Chwarddodd y dynion pan gyrhaeddodd hi. Oedd, roedd hi'n flondan. Oedd, roedd hi'n fronnog. Ond roedd hi'n llawer hŷn na'r hyn roedden nhw wedi ei obeithio. Mae'n debyg ei bod hi tua'r un oed â nhw! Wedi hen basio ei *sell by date*. Ond doedd dim ots. Hen bladras fawr flêr neu beidio, roedd hi'n hen bladras fawr flêr fudr. Cawsant werth eu pres. Doedd llwyfan y Neuadd Goffa erioed wedi gweld y fath sioe; sioe go wahanol i gyngerdd Dolig blynyddol Ysgol Gynradd y Bont.

Wrth i'r dyn mewn siwt sgleiniog ei thywys hi ddiwedd y nos i'r BMW y tu allan i'r Neuadd Goffa, gofynnodd John iddo sicrhau model newydd ar gyfer ei barti nesaf. Oedd gan y flondan ferch? A dyna pryd yr agorodd y bladras ei cheg i siarad am y tro cyntaf gan ddweud, 'I'm doing this so that my daughter won't have to.' Mae'n rhaid iddi dramgwyddo gan i'r dyn yn y siwt roi hergwd iddi tuag at ddrws y car. Chwarddodd John a'i fêts. Noson dda. Ffwc o noson dda.

Ychydig ddyddiau cyn y parti roedd Robin wedi ymddiried yn ei ffrind gan ddweud wrtho nad oedd yn siŵr a fyddai'n hapus i berfformio o flaen y dynion eraill. Deallodd John yn syth beth oedd gwir ofid ei ffrind.

'Paid poeni'r hen foi. Rhyngddat ti a fi, mae Ron Taxis yn sypleio fi efo Viagra. Dim bod fi angan nhw, ond ffyc mi, ti fatha stalwyn am oria. Mae'r ledis wrth eu bodda! Fe wnân nhw rwbath i ti. Fydd gen i ddigon nos Sad i rannu efo chi i gyd, y bastads!'

Doedd Robin ddim wedi medru cael codiad o unrhyw fath ers tro. Gwyddai na fyddai ganddo obaith caneri i lwyddo o flaen cynulleidfa. Roedd y peth yn boen iddo. Ond doedd dim unrhyw ffordd y byddai'n cyfaddef na thrafod y ffasiwn beth efo Doctor Harris. Gyda chadarnhad y byddai ganddo rywbeth i'w helpu i gael codiad, cytunodd i ymuno yn y parti. A phan ddaeth ei dro i fynd ar ei chefn ar lwyfan y Neuadd Goffa, doedd dim stop arno. Cytunodd John ac yntau mai dyna un o'r nosweithiau gorau ers blynyddoedd lawer.

Wrth i John agor potel arall o Prosecco, magodd Robin hyder i wthio'i gwch i'r dŵr.

"Di Ron yn dal i werthu i ti?' gofynnodd yn betrus gan geisio peidio swnio'n rhy daer. Goleuodd llygaid John.

'Ti 'di cael dynas, y diawl lwcus? Lle ddiawl fuest ti'n hela? Pwy ydi hi?'

'Fedra i'm deud. Rhaid i mi gadw fo'n gyfrinach. Fasa pobl ddim yn licio meddwl 'mod i'n hwrio a Llinos 'di mynd...'

'Gei di ddeutha fi, Rob, i mi gael rhoi'r *seal of approval*! Pwy ydi dy darged di'r tro yma'r diawl?'

Ond gwrthod ymhelaethu a wnaeth Robin. Doedd ganddo fo ddim dynes. Dim ar hyn o bryd. Mater o amser, dyna i gyd. Ond gyda phob concwest, roedd angen paratoi o flaen llaw. Estynnodd John baced o chwech o'r tabledi glas gwyrthiol o'i stash yn nrôr ei ddesg a'u rhoi i'w ffrind, gan ddweud wrtho y byddai'n ychwanegu at fil y car pan ddeuai i'w nôl drannoeth. Stwffiodd Robin y tabledi i'w boced. Roedd darn o bapur yn ei boced. Edrychodd arno. Roedd o wedi anghofio popeth am yr englyn. Pylodd hynny dipyn ar ei hwyliau.

Erbyn i Robin adael y garej, gwyddai ei fod yn reit chwil. Doedd o ddim yn gallu dal ei ddiod gystal wrth heneiddio, neu efallai mai'r ffaith mai topio fyny ar yr alcohol oedd o bob diwrnod oedd i gyfrif. Bag o tsips fyddai'n dda. Daria! Roedd hi wedi dechrau poeri glaw. Igam-ogamodd yn ôl ar hyd y brif stryd a'r paced o dabledi gwyrthiol yn gyfrinach fach ddiogel ym mhoced ei gôt.

Rhegodd Robin dan ei wynt wrth gamu ar hyd strydoedd llwyd Pont-henfelen. Roedd y siop tsips wedi cau. 'Cadwa dy blydi tsips 'ta!' mwmialodd dan ei wynt. Aeth yn ei flaen fymryn yn sigledig a'i stumog wag yn canu'i chân brotest. Daeth at y troad yn y ffordd at gapel Horeb. Edrychodd draw at y capel; adeilad arall oedd yn mynd â'i ben iddo. Gwyddai fod y cloc yn tician cyn y byddai Horeb yn cau ei ddrysau am y tro olaf. Bu sibrydion am ddechrau trefnu gwasanaeth i ddatgorffori'r capel. Dyma'r olaf o bump o gapeli fu'n llewyrchus iawn ym Mhont-henfelen hanner can mlynedd ynghynt.

Er nad oedd o'n credu yn Nuw nac mewn diawl o ddim byd arall, roedd hi'n chwith gan Robin weld bygythiad i'r achos yn Horeb. Hyd yn oed pan ddaeth Dafydd Iwan yno i bregethu ddwy flynedd ynghynt, prin ddwsin o 'ffyddloniaid' a ddaeth yno – a hwn oedd uchafbwynt y flwyddyn i gapel Horeb, Pont-henfelen! Roedd Ann Thomas, Tŷ Capel, bron a gwlychu ei nics wrth feddwl bod Dafydd Iwan yn dod i Horeb! Bu yno y diwrnod cynt yn twtio a gwaredu'r gwe pry cop oddi ar y blodau plastig gwywedig. Gallai blodau plastig wywo mewn adeilad fel hwn â'i ddistempar tamp. Doedd hyd yn oed Robin, un o golofnau'r gymuned, ddim yn mynychu bellach os nad oedd raid. Chwarae teg, doedd dim posib ei dal hi ymhobman. A doedd dyfodiad tamborîns i'r sêt fawr a phregethau PowerPoint smalio-bod-yn-trendi ddim wedi cymell Robin i gefnogi'r achos fel y dylai.

Nesaodd at ddrysau caeedig y Co-op. Cododd ei gôt i geisio arbed ei war rhag y dafnau glaw. Roedd mymryn o wynt wedi codi a'r gwynt yn cario'r glaw i'w gyfeiriad. Edrychodd i fyny i'r fflat uwchben y Post. Roedd golau'n treiddio'n nadroedd melyn drwy fleinds ffenest yr ystafell ymolchi. Roedd dychymyg effro Robin yn bwydo lluniau hyfryd i'w ben. Dychmygai ei hun fel brenin mewn dresing gown sidan coch yn mwynhau gwasanaeth ei gwningen fach awyddus wleb. Edrychai ymlaen at gael cip ar Sharon fore trannoeth pan fyddai'n postio *Siarad Cyfrolau* ar gyfer cystadleuaeth y Fedal Ryddiaith.

Edrychodd i fyny i gyfeiriad cloc y Senotaff. Roedd hi wedi troi hanner awr wedi naw. Roedd y noson wedi hedfan. Stopiodd Robin yn stond a fferrodd ei waed wrth weld golau coch sinistr yn fflachio ac yn lledu fel rhyw ysbryd y tu ôl iddo ar y pafin gwlyb. Edrychodd dros ei ysgwydd mewn braw. Roedd rhyw anghenfil du yn dod tuag ato. Beth oedd hwn? Wrth iddo nesu gwelodd, er mawr ryddhad iddo, mai Llion Huws ar ei sgwter oedd yno. Roedd ei glogyn plastig du yn sgleinio fel ystlum grotésg.

'Blydi hel, Llion. Roddoch chi fraw i mi.'

Ddywedodd Llion yr un gair o'i ben, dim ond gyrru'r sgwter yn ei flaen ar hyd y pafin. Peth rhyfedd iddo beidio â'i gyfarch. Ond dyn od fu Llion Huws erioed; dyn a fu'n hen o'r crud; dyn bach hunanbwysig. I ble roedd o wedi bod, neu i ble roedd o'n mynd, tybed? Cofiodd Robin ei bod hi'n nos Iau – noson y dosbarth cynganeddu yn y Neuadd Goffa. Mae'n rhaid mai ar ei ffordd adre roedd o o'i sesiynau bach pathetig.

Cyflymodd Robin ei gamre wrth deimlo'r nodwyddau glaw ar ei war. Cychwynnodd y ddringfa'n ôl at Argoed. Byddai'n rhaid iddo fo ddisgyblu Llinos am ei hyfdra'n mentro anfon neges at y byd mawr y tu allan. A beth am y blydi englyn? Byddai'n rhaid iddo ei chroesholi i weld a wyddai hi pwy fyddai wedi gallu ysgrifennu englyn a'i roi drwy'r drws. Fyddai Llion Huws ddim wedi gallu dringo grisiau'r ardd i fyny at ddrws Argoed. Ynte ai ffugio anabledd a wnâi'r llyfrbryf? Roedd ei feddwl ymhobman. Bwyd yn gyntaf cyn taclo Llinos. Roedd ei stumog yn sgrechian am damaid i lenwi'r gwagle yn ei berfeddion.

Wrth ddynesu at Dan y Coed, dechreuodd anesmwytho. Teimlai'n siŵr iddo glywed ôl traed y tu ôl iddo. Stopiodd. Edrychodd dros ei ysgwydd. Oedd ei ddychymyg yn chwarae triciau â fo? Doedd neb i'w weld. Bobol bach! Roedd ganddo ddigon ar ei blât heb ddechrau ildio i baranoia. Roedd golau coch sgwter Llion Huws wedi ei anesmwytho. Clywodd gyfarthiad Daniel fel un o gŵn Annwn yn dod o grombil Dan y Coed. Oedd yna gryndod bychan yn llenni ffenestri'r lolfa? Oedd Mair yn busnesu eto? Pasiodd y tŷ'n gyflym rhag iddi ddod allan i'w blagio eto fyth. Roedd o wedi gorfod ei dioddef hi ddwywaith y diwrnod hwnnw'n barod.

Ac yntau bron â chyrraedd pen yr allt, clywodd y sŵn eto. Teimlo cysgod. Sŵn siffrwd. Trodd i wynebu'r pentref islaw. Gwelodd y bws yn yr arhosfan gyferbyn â'r Post. Efallai mai dyna oedd y sŵn a glywodd. Dim ond to'r bws olaf i'r dref a welai drwy bapur doili dail y coed. Doedd o ddim yn cofio gweld neb yn aros wrth yr arhosfan pan basiodd y Post rai munudau ynghynt. Ai codi teithiwr neu ollwng teithiwr roedd y bws? Lledodd annifyrrwch drwyddo. Na, nid annifyrrwch, ond ofn. Ofn beth, wyddai o ddim. Ceisiodd reoli ei ofnau. Clywai lais diamynedd ei fam yn ei glust seithmlwydd oed yn dweud 'Get a grip, Rob! Get a grip!'

Roedd y coed fel rhidyll uwch ei ben yn sgeintio glaw yn ddeiamwntiau ar ei wallt gwyn. Prysurodd i fyny'r allt. Dechreuodd yr ofnau gilio wrth iddo igam-ogamu at giât gardd Argoed. Roedd y bagiau bin yn sgleinio'n serog yn y glaw mân. Dringodd y grisiau at y drws. Stopiodd yn stond. Diawliodd ei hun. Roedd o wedi anghofio cau ffenest sash y stydi ers y prynhawn. Daria. Sut gebyst y buodd o mor flêr? Blydi hel!

Rhedodd at ddrws y tŷ a'i law yn crynu wrth wthio'r goriad i'r clo. Caeodd y drws y tu ôl iddo. Arhosodd yn llonydd yn y cyntedd am eiliad. Er gwaethaf y Tinnitus yn gwichian yn ei glustiau gwyddai fod y tŷ fel y bedd.

Aeth drwodd i'r stydi. Roedd pentyrrau ei nofel yn dal
yno. Byddai'n rhaid iddo fod yn ofalus, yn llai esgeulus.
Aeth diferion bach o law o'i gôt ar dudalen pennod
gyntaf *Siarad Cyfrolau* wrth iddo ymestyn dros y ddesg i
gau'r ffenest.

> "*Si*wan! Siwan!"
> *E*rs rhai oriau, bu'r tad yn chwilio amdani.
> *L*oes calon i'w thad oedd ei gweld ar ei phen ei hun.
> *E*drychodd arni cyn galw arni i ddod ato.
> *R*oedd hi'n dlws...

Roedd rhywbeth am y darn yn ei anesmwytho. Beth
yn union? Wyddai o ddim. Tynnodd ei gôt. Gadawodd y
stydi. Lluchiodd ei gôt ar y bachyn nesaf at sgarff dartan
Llinos a mynd i'r gegin. Trawodd bryd parod i'r popty
ping. Wyth munud. Byddai ei bryd cyw iâr mewn saws
hufen yn barod mewn wyth munud. Gwin gwyn. Byddai
gwydraid o win gwyn yn priodi'n berffaith â'r cyw iâr.
Agorodd ei botel olaf o Gaillac. Daeth â chruglwyth
ohonynt yn ôl efo fo o'i wyliau yn Ffrainc y llynedd.
Treuliodd Llinos y gwyliau â'i thrwyn, fel arfer, mewn
llyfr. Doedd fiw iddo darfu arni a phan fyddai'n mentro ar
sgwrs efo hi, byddai ei chynnwys cyn ddiflased â gwrando
drannoeth ar stori breuddwyd neithiwr. Doedd dim i'w
wneud felly yn Ffrainc ond yfed gwin hyfryd yr ardal a
meddwi ar wynfyd cyrff siapus gwragedd ifanc parti plu'r
garafán drws nesaf iddynt.

Tywalltodd wydraid cysur dros dro o'r Gaillac iddo'i

hun. Er teimlo'n chwil, gwyddai y byddai'n teimlo'n dipyn gwell ar ôl bwyta. Cymerodd ddracht go helaeth o'r gwin. Hyfryd! Roedd blas mwy ar hwn. Aeth i wirio fod drws y cefn wedi ei gloi. Paranoia, hogia bach! Chwarddodd ar ei ffwlbri ei hun a gwelodd y gigfran yn hofran ger canllaw grisiau'r cowt cefn. Ai'r un gigfran oedd hon â'r un yn yr ardd ffrynt? Ai dyma ei chymar? Caeodd Robin ei ddyrnau a waldio'r drws i'w dychryn. Hedfanodd i ffwrdd. 'Mae mistar ar Mistar Mostyn,' gwaeddodd Robin gan gymryd llwnc arall o'r gwin. Dechreuodd Robin ganu iddo fo'i hun:

Hen frân fawr ddu ar ben y to,
Yn canu cân, do-mi-so-do;
Mi godais fy ngwn i'w saethu hi,
Ond cododd ei chwt-chwt-chwt-chwt-chwt…

Rhoddodd y gorau i ganu. Y blydi aderyn! Nid y gigfran a'i sobrodd. Y gigfran a'i hatgoffodd. Yr aderyn papur! Aderyn papur Llinos! Ei horigami! Ble roedd yr aderyn papur?

Rhedodd yn ôl i'r stydi a'i anadl yn banig. Doedd yr aderyn papur ddim ar y ddesg. Dyna ble roedd yr aderyn ddiwethaf, ia ddim? Edrychodd o'i gwmpas. Aeth ar ei bengliniau rhag ofn fod yr aderyn wedi syrthio'r tu ôl i'r ddesg. Aeth drwodd i'r lolfa. Aeth yn ôl i'r stydi. Ble ddiawl yr aeth yr aderyn papur? Estynnodd am oriad y tŷ a mynd allan i wyll yr ardd. Tybed oedd yr aderyn wedi hedfan drwy'r ffenest agored? Ceryddodd Robin ei hun am feddwl y ffasiwn wiriondeb. Fedrai aderyn papur ddim hedfan, siŵr! Oedd yr awel wedi tynnu'r aderyn papur allan? Oedd yr epistol poen wedi canfod ei adenydd ei hun? Edrychodd o'i gwmpas. Doedd dim sôn am yr aderyn papur ar y llwybr o dan ffenest y stydi. Aeth yn ôl i'r tŷ ac estyn tortsh o'r twll dan grisiau. Goleuodd y dortsh a mynd allan eto. Na, doedd dim sôn am yr aderyn papur. Tybiai'n siŵr iddo glywed sŵn siffrwd eto. Teimlai'n siŵr fod yna rywun yn ei wylio. Pa wrach y rhibyn oedd yno? Ond doedd dim golwg o neb.

Aeth yn ôl i mewn i'r tŷ dan wingo. Rhaid oedd pwyllo. Peidio ag ildio i ddychymyg ffôl. Peidio gwagswmera. Peidio mynd o flaen gofid. Wynebu ffeithiau. Bu'n annodweddiadol o esgeulus yn gadael ffenest y stydi ar agor. Roedd o'n cicio'i hun wrth feddwl am ei ffolineb. Clywodd sŵn ping y popty. Câi'r swper aros am funud fach. Tywalltodd wydraid arall o win iddo'i hun. Byddai'n rhaid iddo gynnal arbrawf. Lluchiodd rywfaint o'r gwin i lawr ei gorn gwddw. Cymerodd bapur o'r peiriant copïo nesaf at y ddesg a thrio creu aderyn tebyg i'r un a greodd Llinos. Doedd ganddo ddim syniad ble roedd dechrau. Plygodd y papur bob sut. Nid edrychai ei greadigaeth yn ddim byd tebyg i aderyn. Dim ots am hynny. Arbrawf oedd hwn, nid arddangosfa celf a chrefft Eisteddfod yr Urdd!

Gwthiodd y ffenest sash ar agor eto. Gosododd ei anghenfil papur trwsgl ar ymyl y ddesg ble gynt yr eisteddai'r aderyn papur cywrain. Aeth drwodd i'r gegin a thywallt y cyw iâr a'i saws o'i ddysgl untro, yn llanast blêr ar blât. Gwingodd wrth i'r saws poeth losgi ei fys. Rhedodd y tap dŵr oer. Gallai deimlo pothell yn codi ar ei fys. Ond doedd dim amser i ffysian. Ail-lenwodd ei wydr gwin reit i'r top. Arferai Llinos ddweud mai peth 'vulgar' oedd llenwi gwydr gwin hyd at yr ymylon. I'r diawl â hynny! Nid Llinos oedd y meistr bellach. Robin Richards oedd yn tra-arglwyddiaethu erbyn hyn. Cydiodd mewn cyllell a fforc. Rhoddodd y cyfan ar hambwrdd ac yn ôl â fo i'r stydi i fwyta'i swper sydyn o flaen ei arbrawf.

Bu bron iddo ollwng ei hambwrdd wrth fynd i mewn i'r stydi. Roedd ei anghenfil papur wedi diflannu. Gosododd ei hambwrdd ar y ddesg gan sarnu dipyn o'i win. Edrychodd y tu ôl i'r ddesg. Edrychodd allan drwy'r ffenest. Estynnodd am ei dortsh a mynd allan drachefn gan ddisgwyl y byddai'r papur ar lawr o flaen y ffenest. Dim byd. Aeth cryndod drwyddo. Edrychodd o'i gwmpas. Dim byd. Aeth i'r tŷ a'i galon yn curo'n afreolus. Caeodd y drws. Pwysodd yn ei erbyn er mwyn cael ei wynt ato. Llyncodd ei boer sych. Gwelai gysgodion brawychus o'i gwmpas ymhobman. Roedd o wedi yfed gormod. Byddai popeth yn glir yn y bore. 'Get a grip, Rob! Get a fucking grip!'

Aeth yn ôl i'r stydi i fwyta'r swper oedd yn prysur oeri. Rhewodd yn y fan a'r lle. Fedrai o ddim credu. Gwyddai nad oedd ei glustiau'r hyn oedden nhw. Ond oedd ei lygaid yn pallu hefyd? Roedd yr anghenfil papur yn ôl

ar y ddesg; yn bêl fach llaith yn y pwll bach o Gaillac ar
y ddesg. Pa Wydion oedd yn chwarae triciau ag o? Beth
ddiawl oedd yn digwydd? Oedd o'n colli ei grebwyll? Ac
yntau'n drwm yn ei ddiod, camodd at y ddesg gan geisio
rheoli'r cryndod oedd wedi meddiannu ei holl gorff. Pa
gêm orffwyll oedd hon? Ai drychiolaeth oedd hyn? Oedd
o'n dechrau colli arni? Cododd y papur a gwelodd, er
syndod iddo, y pry cop o lawysgrifen a'r llythrennau wedi
dechrau llifo i'w gilydd yn sgil y glaw mân:

'Ble'r ei di? Ble'r ei di?
Yr hen dderyn bach?'
'I nythu fry ar y goeden.'
'Pa mor uchel yw y pren?'
'Wel dacw fo uwchben.'
'O mi syrthi, yr hen dderyn bach!'

Roedd ofn llethol wedi cydio ynddo erbyn hyn. Er
gwybod bod dafnau chwys yn cronni uwch ei wefus,
teimlai fel pe bai rhywun â bwyell o rew yn trywanu ei
asgwrn cefn. Pa fwgan oedd wrthi? Caeodd y ffenest.
Caeodd y llenni. Caeodd ei lygaid. Roedd pob man yn
troi. Drachtiodd yr hyn oedd yn weddill o'r gwin.

Dechreuodd amau bod Llinos yno'n rhywle. Ond
byddai'n amhosib iddi fod wedi dod o'i charchar yn y
seler. Aeth i'r cyntedd. Tynnodd y llen oddi ar y drws y
tu ôl i'r grisiau a throi'r goriad. Camodd ar ras fesul dau
ris i lawr y grisiau at ddrws y seler a phwyso'r cod: 'G' am
Genesis ac yna 8.6.7. Roedd Llinos yno. Ar y gwely. Oedd

hi wedi bod yn cysgu? Pam nad oedd hi'n sgwennu? Roedd ganddi deipiadur rŵan. Dim esgus.

Cododd Llinos. Roedd golwg wedi drysu arni. Llusgodd ei hun i sefyll, fel cynt, â'i chefn at y wal.

'Be ffwc sy'n digwydd?' harthiodd Robin arni. Edrychodd Llinos arno'n syn, ei hwyneb yn ddrych i'w hofn arswydus ei hun, a mentrodd ofyn iddo,

'Be sy'n bod? Faint o'r gloch ydi hi?'

'Ffwc o ots faint o'r gloch ydi hi. Mae 'na rywun yn chwarae gêms.' Dechreuodd Robin ganu bron yn hysterig,

'Ble'r ei di? Ble'r ei di?
Yr hen dderyn bach…?'

Lledodd awgrym o obaith i lygaid pŵl Llinos. Cythruddodd hyn Robin:

'Dechreua sgwennu'r sguthan! Dwi'n disgwyl y bennod olaf wedi'i chwblhau erbyn bore fory. Ti'n dallt!'

'Tan ga i gloc, does gen i ddim syniad pryd mae bore fory, Robin.'

Roedd rhywbeth am hunanreolaeth herfeiddiol o dawel Llinos yn ei gynddeiriogi. Cythrodd ati a gafael ynddi'n frwnt. 'Paid ti â chwarae gêms efo fi, Llinos.' Gollyngodd Robin hi.

'Ti 'di bod yn yfed, Robin?' gofynnodd Llinos yn dawel. Anwybyddodd hi. Roedd yn rhaid iddo geisio cadw rheolaeth ar ei dymer. Roedd amser yn ei erbyn. Aeth at y drws. Trodd ati hi eto a gofyn:

'Pwy yn y pentra 'ma sy'n gallu sgwennu englynion?' Edrychodd Llinos yn rhyfedd arno.

'Mae 'na dipyn. Pam?' Roedd Robin ar fin ei chroesholi ymhellach pan sylwodd ar aderyn papur ar ei desg.

'Pryd 'nest ti hwn?' gofynnodd.

'Dwi ddim yn gwbod, Robin. 'Sgen i ddim cloc.'

'Paid ti trio bod yn glyfar efo fi. A phaid â meddwl trio sgwennu nodyn i drio dianc o fan yma eto. Ti'n meddwl 'mod i'n dwp 'ta be?'

Gwelodd Robin y gobaith yn llygaid Llinos yn pylu. Cydiodd ynddi eto a'i sodro o flaen y teipiadur. Gyda'i ddwylo crynedig, bwydodd bapur i rolyn yr Olivetti a phoerodd drwy ei ddannedd:

'Ffwcin sgwenna'r gont!'

Gadawodd Robin ei wraig yn y seler a chau'r drws yn glep. Cyrhaeddodd hyd at ganol y grisiau. Lledodd cysgod rhyfedd drosto. Edrychodd i dop y grisiau. Roedd o wedi'i gornelu. Roedd yn gaeth yn y tir neb rhwng y seler a'r cyntedd. A dyma ddeall ofn. Gwir ofn. Ofn yn feis am ei gorff i gyd.

Roedd Beni Bins yno'n disgwyl amdano.

Digwyddodd popeth yn sydyn, er teimlo fel *slow motion*. Ceisiodd Robin feddwl ar ei draed. Roedd yr alcohol a'r stumog wag yn rhwystr iddo feddwl yn glir. Roedd suo'r Tinnitus wedi cynyddu'n grawcian haid o adar yn ei benglog. Ond doedd o ddim am adael i'r bwgan brain yma gael y llaw uchaf arno. Dychrynodd o weld Beni'n camu i lawr y grisiau'n araf bwrpasol tuag ato fo.

'Duw, Beni. Be ti'n da 'ma? Sut ddoist ti i'r tŷ?' Ddywedodd Beni ddim gair. Aeth Robin yn ei flaen a'i nerfau'n berwi'n ei ben, 'Ti'n gwbod dy fod ti'n tresbasu, yn dw't? Torri'r gyfraith, Beni. Twt twt.'

Erbyn hyn roedd Beni o fewn hyd braich i Robin a'i gorff mawr yn tywyllu a llenwi'r grisiau. Doedd gan Robin ddim gobaith o'i basio. Gwnaeth ymgais fach arall i reoli'r sefyllfa. 'Tyrd o 'na, Beni. Gawn ni baned bach yn gegin. A Hobnobs. Mae gen i Hobnobs!' Ond dal i rythu arno a wnâi'r cawr. Camodd Robin tuag ato mewn ymgais bathetig i'w gael i ddringo'r grisiau yn ôl i'r cyntedd. Doedd Beni ddim am symud modfedd i adael iddo basio.

'Tyrd, Beni bach. Mae fy swper i'n oeri. Ers pryd wyt ti wedi bod yma?' A dyna pryd y siaradodd Beni.

'Fe ddes i ag englyn Mistar Huws i chi. O'n i'n gwybod eich bod chi yn y tŷ, ond wnaethoch chi ddim ateb y drws.' Roedd Robin yn iawn felly, Llion Huws luniodd yr englyn gan ddefnyddio Beni fel llatai. Doedd Robin ddim wedi clywed cloch y drws ac yntau yn y seler. Yr hyn na wyddai Robin oedd fod Florence, ar ôl iddo fo fod yno'n yfed y Crozes-Hermitage efo hi, wedi cysylltu efo Beni a'i holi'n daer, 'Has Argoed got a cellar, Benjamin?'

Torrodd llais bygythiol Beni ar draws meddyliau dryslyd Robin, 'Agorwch y seler!' Chwarddodd Robin yn nerfus a chododd Beni ei lais, 'Agorwch y seler. Dwi'n gwbod.'

'Gwbod be, Beni bach?'

'Agorwch y seler.'

'Paid ti dod mewn i 'nhŷ fi a deutha fi be i neud yn fy nghartref i fy hun, Beni boi. Mi ddylwn i alw'r heddlu.' Tro Beni oedd hi i chwerthin.

'Gewch chi alw'r heddlu, Mistar Richards – ar ôl agor drws y seler.'

'Ond Beni...'

'AGORWCH Y DRWS!' gwaeddodd Beni fel taran.

Gwyddai Robin nad oedd ganddo ddewis. Ond roedd un syniad wedi dechrau ffrwtian yn lobsgows ei feddwl; yr unig gynllun y gallai feddwl amdano ac yntau yn y fath gyfyng-gyngor. Byddai'n rhaid iddo gloi Beni yn y seler hefyd. Parhaodd â'r sgwrs yn y gobaith y deuai syniad gwell iddo, gan ddweud gyda ffug ysgafnder,

'I be wyt ti isio gweld hen seler dywyll, Beni?'

'Dwi'n gwbod, Mistar Richards. Mae Llinos yn fyw, yn tydi.' Erbyn hyn gallai Robin deimlo anadl boeth Beni ar ei wyneb.

'Ha! Ha! Be nesa? Be sy'n gneud i ti feddwl bod Llinos yn fyw, Beni?' Gwenodd Beni wên fileinig arno,

'Mae 'na dderyn bach wedi deutha fi, Mistar Richards.' Pylodd ei wên ac ychwanegodd yn fygythiol dawel y tro hwn, 'Agorwch y drws, Robin Richards!'

Er gwaethaf tawelwch ei lais, roedd llygaid Beni'n fflachio. Camodd un gris arall hyd nes ei fod fel Ysbaddaden Bencawr uwchben Robin. Doedd gan Robin ddim dewis bellach. Trodd gan fynd yn ôl i lawr y grisiau, ac at y seler, gyda Beni yn dynn wrth ei sodlau. Byddai'n rhaid iddo agor y drws. Gobeithiai y byddai Beni'n cael ei daflu oddi ar ei echel yn llwyr pan welai Llinos. Byddai Llinos hithau'n siŵr o fod yn syfrdan hefyd. Gweddïai ei bod hi wedi mynd yn ôl i hepian cysgu ar y gwely bach. Gallai hynny roi digon o amser iddo gau'r drws yn glep ar y ddau ohonyn nhw. Fe gâi'r ddau fod ar eu pennau'u hunain yn Lear a Cordelia bathetig,

'We two alone will sing like birds i' the cage.'

Tapiodd Robin god drws y seler yn sydyn fel na allai Beni weld y cyfuniad. Doedd ond gobeithio y byddai'n gallu symud yn ddigon sydyn cyn i dymer Beni ferwi a chael y gorau arno. Gyda Beni'n gysgod sinistr ar ei war, agorodd Robin y drws.

Cyn gynted ag yr agorodd Robin y drws, fe'i lloriwyd am eiliad. Roedd rhywbeth wedi ei daro ar ei ben. Roedd Llinos yn sefyll yno wrth y teipiadur a golwg hyll o benderfynol arni hi. Daria unwaith – mi feddyliodd yn siŵr y byddai hi wedi mynd i orwedd ar ei gwely. Roedd hi wedi dechrau udo neu sgrechian neu beth bynnag oedd y sŵn anifeilaidd ddeuai o'i genau. Gwelodd hi'n ceisio ymddatod o'r cadwyni haearn ar ei phigyrnau fel arthes gynddeiriog mewn caets. Cyffyrddodd Robin yn y briw ar ei ben a gweld *The Complete Works of William Shakespeare* wrth ei draed. Roedd hi wedi lluchio'r llyfr ato fo. Yr ast!

Trodd Robin yn simsan sydyn, yn ymwybodol bod Beni y tu ôl iddo, yn llenwi'r drws. Diolchodd yn ddistaw iddo'i hun bod yr olygfa wedi syfrdanu Beni'n ddelw dwl. Ond dim ond am ennyd. Gwyddai mai mater o eiliadau prin oedd ganddo cyn i Beni ddechrau asesu'r olygfa facabr o'i flaen. Roedd rhaid i Robin feddwl ar ei draed. Gallai'r holl beth droi yn ei erbyn ar amrantiad.

Roedd rhaid iddo garcharu Beni yn y seler, efo'i wraig. Byddai Llinos yn diolch iddo. Beni oedd y plentyn bach na chafodd hi erioed. Y plentyn yr amddifadwyd Robin ohono fo. Byddai bywyd wedi bod mor wahanol pe bai Llinos wedi llwyddo i gael plant. Fyddai o ddim wedi ei tharo hi pe bai hi'n fam i'w blentyn o, siŵr. A fyddai o'n sicr ddim wedi ei charcharu hi mewn seler. Ond dyna ni, chafodd o erioed y profiad o fod yn dad. Chafodd o erioed y profiad o ddangos nad Eric Richards oedd o. A Llinos oedd yn gyfrifol am hynny. Doedd hi ddim ffit i fod yn fam. Roedd unrhyw dueddiadau mamol oedd ganddi, os bu ganddi rai o gwbl, i'w gweld yn ei pherthynas od o agos efo Beni Bins. Ond digon o athronyddu. Roedd rhaid gweithredu. Roedd rhaid carcharu Beni yn y seler. Doed a ddêl. Doedd dim ateb arall. Oedd yna? Wel os oedd ateb arall, gallai feddwl am gynllun call wedyn. Ond am rŵan rhaid, rhaid, rhaid oedd cael y ddau y tu ôl i ddrysau clo'r seler. Apeliodd Robin at symlrwydd diniwed Beni a dweud,

'Llinos sydd wedi gofyn am hyn, Beni.'

'Paid â gwrando arno fo!' meddai llais egwan ond ymbilgar Llinos. Roedd Beni wedi estyn am ei ffôn. Dyma gyfle i Robin fanteisio ar eiliadau ychwanegol gan y gwyddai na fyddai gan Beni signal o fath yn y byd yn y seler. Aeth Robin yn ei flaen,

'Doedd gen i ddim dewis. Doedd hi ddim yn gallu dygymod efo'r holl bwysau, y disgwyliadau arni hi fel awdur; fel trysor cenedlaethol...'

'Paid gwrando arno fo,' meddai'r llais bach pathetig drachefn.

'Ei gwarchod hi ydw i. Rhag yr holl bwysau...'

Edrychai Beni ar ei eilun mewn anghrediniaeth. Crwydrodd ei lygaid syn o gwmpas y seler at y teipiadur ar y ddesg, at yr adar papur wrth y gwely; yn ôl ati hi, gan edrych i fyny o'r hualau am ei phigyrnau main at y sgerbwd o'r hyn a fu; y pantiau tywyll o dan ei llygaid; y cleisiau duon; y bwlch yn ei dannedd blaen; y cudynnau gwallt seimllyd yn glynu i'w phen. Ai Llinos oedd hon? Gwelodd Robin ei gyfle i gael y llaw uchaf ar y diawl dwl wrth glywed Beni'n gofyn iddi hi,

'Dach chi'n iawn, Llinos?' Gwyrodd Robin i gydio yng nghyfrol gweithiau Shakespeare ac wrth iddo ei thaflu at Beni clywodd waedd Llinos,

'Beni!'

Bu annel Robin yn berffaith a'r gyfrol yn taro Beni ar ei drwyn, ond doedd hyd yn oed Shakespeare ddim yn ddigon trwm i lorio'r mwlsyn, er achosi gwaedlyn. Gwelodd fflach wenwynig yn llygaid Beni wrth iddo ddynesu ato fo. Cydiodd Robin yn y gadair, yn barod i'w thaflu, ond fe'i rhwystrwyd gan law fach fain ei ffwcin wraig yn gafael fel feis yn ei ffêr fel na allai symud cam yn ôl nac ymlaen. Roedd hon yn benderfynol o'i rwystro rhag llwyddo mewn unrhyw agwedd ar fywyd neu farwolaeth.

'Gad fynd, y bitsh!' ysgyrnygodd. Clywai Robin lais ei fam yn ei glustiau, 'Get a grip, Robin! Get a grip!' Wrth iddo droi'r gadair fel arf yn erbyn Llinos, teimlodd law'r cawr y tu ôl iddo yn gafael amdano a'r llaw arall yn disgyn fel gordd am ei war. Teimlodd Robin y gadair yn disgyn o'i law a charped y seler yn fagnet i'w bengliniau wrth iddo syrthio'n swp i'r llawr. Clywodd lais Llinos yn ymbil,

'Dyrna fo, Beni! Dyrna fo!'

Roedd hon am ddifetha bob dim iddo fo. Mi ddangosai o i'r ast pan gâi gyfle. Ceisiodd Robin droi i siarad sens, neu pe gallai, i ymladd yn ôl, ac wrth iddo droi, gwelodd lygaid mellt y cawr yn troi'n wên sadistaidd cyn gweld ei raw o law yn cau amdano eto. Clywai Robin, fe pe bai mewn twnnel, lais Llinos yn diolch, yn crio ac yna'n diolch drachefn. Ceisiodd Robin ddweud rhywbeth eto, ond roedd y geiriau'n gwrthod ffurfio a phylodd y seler a phopeth o'i gwmpas yn un ogof ddu.

'**F**ydda i ddim chwinc, Llinos,' meddai Beni. Prin y gallai Llinos ei weld drwy'r dagrau oedd yn rhaeadru o'i llygaid, ond fe wyddai un peth; doedd hi ddim am gael ei gadael yn y seler ddim eiliad yn hirach nag oedd raid. Erfyniodd ar Beni i'w rhyddhau. Camodd Beni dros gorff Robin i archwilio'r gadwyn, ond wyddai o na Llinos ble roedd y goriad i agor y gadwyn drom am ei ffêr. 'Trystiwch fi, Llinos. Mae help ar ei ffordd. Dwi angen ffonio...'

Dringodd Beni'r grisiau cyn i Llinos fedru protestio dim mwy er mwyn iddo gael signal i ffonio Florence Riley. Roedd rhaid iddi hi ddod i Argoed ar fyrder. Hi ddyfalodd fod gan Robin ryw ddiddordeb rhyfedd mewn selerydd. Doedd hi erioed wedi cymryd ato fo. Roedd hi wedi trafod efo Beni droeon nad oedd hi'n gallu credu na fyddai yna ryw dystiolaeth bod Llinos wedi bod yn y twr yn Llundain. A pha dystiolaeth oedd yna ei bod hi'n farw? Teimlai Beni ym mêr ei esgyrn, o'r dechrau, fod Llinos yn fyw rhywsut neu'i gilydd. Llwyddodd i berswadio Flo i rannu ei amheuon a'i obeithion ei bod hi'n fyw.

Roedd Beni wedi cynhyrfu'n lân a phrin y gallai

goelio'r ffaith fod Llinos wedi bod yn seler Argoed ar hyd yr holl fisoedd. Pa fath o fwystfil oedd Robin Richards i wneud y fath beth i'w wraig ei hun? Wnaeth Beni erioed licio'r diawl chwaith, ond wnaeth o erioed ddychmygu ei fod o mor fileinig â hyn. O'r diwedd fe atebodd Florence a chwydodd Beni'r hanes yn sydyn iddi hi dros y ffôn. Roedd o mewn cyfyng-gyngor. Beth oedden nhw am ei wneud efo Robin? Ddylai o ffonio'r cops? Onid oedd Robin yn llawia garw efo Dewi Jones yn yr heddlu? Beth oedd y peth gorau i'w wneud?

Heb yn wybod i Beni yn y cyntedd, roedd y tywyllwch wedi dechrau lledu'n olau gwan wrth i'r seler ddechrau ffurfio'n raddol o flaen llygaid Robin ac yntau'n dechrau dod ato'i hun, er gwaethaf y boen arteithiol oedd yn saethu drwy ei ben. Wrth iddo ddadebru, cododd dow-dow gan geisio mygu'r tuchan oedd yn ceisio dianc o'i geg a llwyddo'n araf bach, fesul cam, i ddringo'r grisiau ar ei ôl. Credai Robin yn siŵr fod ei asennau'n rhacs. Roedd o'n ei chael hi'n anodd anadlu gan y boen yn ei dorso. Roedd pobman yn troi ac roedd yr hergwd a gafodd gan Beni wedi ei ysgwyd i'w seiliau. Ond doedd o ddim am adael i'r bwbach gael y llaw uchaf arno. Ceisiodd Llinos weiddi o'r seler ar Beni er mwyn ei rybuddio fod Robin ar ei ffordd. Ond roedd Beni'n brysur yn siarad a chlywodd o ddim o'r synau drwy waliau seinglos y seler.

Wrth i Robin gyrraedd pen y grisiau, gwelai gysgod Beni yn sefyll wrth ddrws y tŷ â'i gefn ato fo a'r sgwrs ffôn yn dirwyn i ben. Camodd Robin un gris arall er mwyn gweld yn well. Diawliai na fyddai wedi cydio mewn rhywbeth o'r seler y gallai fod wedi ei ddefnyddio fel arf. Daeth gwaredigaeth wrth iddo weld *cafetière* dur newydd Mair ar fwrdd y cyntedd. Efallai i'r sguthan dew wneud ffafr â fo'n diwedd! Byddai'r *cafetière* yn well na dim. Doedd dim dewis arall amlwg mewn lle mor gyfyng. Wrth i Robin gydio ynddo, mae'n rhaid bod Beni wedi synhwyro ei bresenoldeb gan iddo ddechrau troi i'w wynebu. Fel roedd Beni'n troi, llwyddodd Robin i daro'r *cafetière* mawr yn ei erbyn gyda holl nerth ei freichiau gwan ac aeth dwylo Beni'n syth at ei ben i fwytho'r dolur. A dyna pryd y ciciodd Robin o yn ei gwd, gan weiddi wrth wneud gan fod y boen yn ei asennau'n annioddefol erbyn hyn. Rhaid bod Beni Bins ddiawl wedi torri ei asennau. Ond tro Beni oedd hi i wingo, ond doedd o ddim am ildio i Robin Richards. Cythrodd amdano ond roedd Robin wedi cydio yn hen sgarff fach dartan Llinos oedd yn crogi ar y bachyn gefn drws.

Camodd Robin yn ôl ar un o'r grisiau a neidio at Beni a cheisio clymu'r sgarff am ei lygaid. Ond doedd Beni ddim am wneud pethau'n hawdd iddo fo. Roedd yr olygfa ddilynodd yn un a fyddai wedi gweddu i gartŵn. Roedd Robin bellach ar gefn Beni a hwnnw fel mul hanner call a dwl yn ei gario o gwmpas cyntedd y tŷ yn gwbl ddall gyda'r ddau yn gweiddi am y gorau. Ceisiai Beni luchio Robin yn erbyn un wal ac wedyn yn erbyn un arall. Llwyddodd Robin i dynnu llun Kyffin o'r wal, a tharo Beni dros ei ben â'r darlun olew o Tryfan gan hollti'r mynydd yn ei hanner. Diawl o ots am y gost. Roedd cael trefn ar y sefyllfa a chael Beni yn ôl yn garcharor yn y seler yn bwysicach nag unrhyw ffwcin Kyffin!

Gwelodd Robin ei gyfle. Ceisio cael Beni i fynd ar ei dalcen yn erbyn yr hoelen ar y wal ble gynt y crogai'r llun o Tryfan oedd y nod. Ond methodd o drwch blewyn. Rhoddodd un tro arall. Gallai lorio'r diawl pe gallai gael ei ben i daro'r hoelen. Hyrddiodd y mul â'i holl egni. Gwyddai ei fod wedi llwyddo wrth iddo glywed griddfan annaearol yn dod o grombil ymysgaroedd Beni. Roedd yr hoelen wedi trywanu drwy'r sgarff ac i mewn i lygad Beni. Gwaeddodd Robin mewn gorfoledd, 'Out, vile jelly!' Ar hynny, lluchiwyd Robin yn sach i'r llawr. Credai'n siŵr y byddai'n llewygu gan y boen, ond cyn i Beni gael cyfle i dynnu'r sgarff oddi ar ei lygaid, roedd Robin ar ei ben yn ei ddyrnu. Ceisiai Beni afael yn ei ddwylo, ond er gwaethaf ei gryfder, roedd gan Robin y fantais o fedru gweld ac roedd o'n araf bach yn dangos pwy oedd y meistr. Estynnodd Robin am y lamp lechen oedd ar fwrdd y cyntedd. Roedd hi'n drom. Roedd lamplen y lamp ar gynllun hen grawiau'r ardaloedd llechi; rhyw fenter gan awdur Cymraeg arall oedd wedi methu â gwneud ei farc gan droi at gelf a chrefft am gysur. Byddai Beni'n hir iawn yn deffro ar ôl teimlo pwysau gwaelod llechen y lamp ar ei gefn. Wrth iddo straffaglio i estyn am y lamp lechen yn barod i waldio

Beni i drwmgwsg, teimlodd Robin law yn ei rwystro, ac yn cydio yn ei arddwrn. Pwy ddiawl? Fyddai Llinos ddim wedi gallu dod o'r seler a hithau wedi ei chadwyno? Gwelodd mai streipiau glas a gwyn top Breton oedd ar y llawes. Roedd un peth yn sicr, doedd dim unrhyw ffordd y byddai'n gadael i ddynes ei lorio. Fyddai o fawr o dro yn rhoi trefn ar hon.

Deng mis yn ddiweddarach

Gallai ei weld yn disgwyl yn amyneddgar ar ganol llwybr Allt yr Hebog. Roedd y patshyn du ar draws ei lygad yn gwneud iddo edrych fel Barti Ddu. Wrth edrych arno, teimlai'n euog ei fod wedi colli ei lygad. Ond roedd Beni'n benderfynol nad oedd colli ei lygad ddim yma nac acw. Roedd ganddo un arall oedd yn gweithio'n tsiampion! Mi gollodd yr hen Gloucester ddwy! Da oedd Beni Bins!

Synhwyrai fod Beni'n llawn cyffro ac eto gwyddai ei fod yntau'n dalp o nerfusrwydd. Dynesodd ato, rhoi llaw'n dyner ar ei ysgwydd lydan mewn gwerthfawrogiad a chychwynnodd y ddau, yn bolyn lein a pheg, i lawr at waelod yr allt. Roedd Mair yno'n disgwyl amdanynt ger giât Dan y Coed yn wên o glust i glust ac yn llawn cynnwrf.

Gwerthfawrogodd y drindod ryfedd hon 'anhreuliedig haul Gorffennaf gwych' a thrydar yr adar oedd yn garnifal o synau bendigedig yn y coed uwchlaw. Byddai'r drain yn drwm gan fwyar ymhen rhai wythnosau, a chyfle eleni i wneud tartenni mwyar i'w ffrindiau i ddiolch iddynt am eu cyfeillgarwch a'u cefnogaeth. Doedd dim byd tebyg i gysur tarten fwyar yn syth o'r popty a hufen neu gwstard yn llifo dros y crwst.

Roedd yr ofnau wedi dechrau cilio'n raddol dros y misoedd diwethaf. Gallai deimlo'i hun yn cryfhau fesul mis, fesul wythnos, fesul diwrnod. Teimlai goflaid gynnes cyfeillgarwch o bob tu. Doedd dim diben gori ar y gorffennol. Edrych ymlaen, nid edrych yn ôl. Roedd heno'n mynd i fod yn noson arbennig. Byddai mewn cwmni da. Cwmni eneidiau hoff cytûn, waeth pwy fyddai'n ennill.

Bu tipyn o waith perswadio ar Beni. Ymfalchïai yn y ffaith iddo gytuno i fynychu'r digwyddiad. Gwyddai y byddai ei gwmnïaeth dawel yn fodd i sadio unrhyw nerfau. Dewiswyd Neuadd Goffa Pont-henfelen i gynnal y seremoni gan Lenyddiaeth Cymru a hynny'n bennaf er mwyn sicrhau y byddai un awdur neilltuol oedd ar y rhestr fer yn mynychu. Bu trigolion y pentref mewn ysbryd hyfryd o gymunedol yn dygn baratoi'r neuadd ers wythnosau ar gyfer digwyddiad mor bwysig. Seremoni Llyfr y Flwyddyn ym Mhont-henfelen! Preliwd perffaith i'r Eisteddfod fyddai'n dod i'r ardal ymhen llai na mis. Gwyddai y byddai *Siarad Cyfrolau*'n destun trafod mawr ar ddydd Mercher y Fedal Ryddiaith. Ond roedd honno'n gyfrinach fach arall i'w chadw dan glo am ychydig wythnosau eto. Byddai'n rhaid wynebu'r cyhoedd eto yn y seremoni honno, ond gobeithiai y byddai'r llifoleuadau'n fodd i ddallu'r pafiliwn llawn o wynebau disgwylgar.

Byddai cynulleidfa go fawr yn y neuadd heno, mae'n siŵr. A dyna'r poendod mwyaf – wynebu pobl a gwybod beth i'w ddweud; beth i beidio dweud. I rywun oedd wedi arfer trin geiriau, roedd geiriau ar adegau yn gyndyn o ddod i'r adwy. Oedd, roedd hi'n anodd weithiau wynebu'r cyhoedd. Ond gydag amser, roedd hyd yn oed yr annifyrrwch yna'n pylu. Roedd haul ar fryn. Roedd bywyd yn braf.

Cerddodd y tri'n hamddenol ar hyd y lôn las. Roedd ganddyn nhw hen ddigon o amser. Ni fu prin siarad rhyngddynt ar hyd y daith a hyd yn oed Mair yn dawel, am unwaith; y tri yn eu bydoedd bach eu hunain. Roedd cymaint wedi digwydd; cymaint i'w brosesu. Doedd dim angen geiriau weithiau. Wrth iddynt ddynesu at yr hen stesion, clywodd y tri sŵn y pryfed yn suo'u rhwystredigaeth y tu allan i un o'r ffenestri gwaelod. Byddai'n rhaid gwneud rhywbeth am y pryfed ar fyrder. Ond digon i'r diwrnod ei ddrwg ei hun. Trodd Mair at y ddau ohonynt.

'Gas gen i bfyfed.'

Ni wyddai'n iawn sut i ymateb iddi hi, ond cofiodd eiriau Gloucester yn *King Lear*, fu'n gymaint o gysur ac yn benyd:

'As flies to wanton boys are we to the gods;
They kill us for their sport…'

Edrychodd draw at Beni. Oedd Beni am ddweud rhywbeth? Os oedd o, dewis aros yn fud wnaeth o, heb edrych ar yr hen stesion. Gwenu'n dawel fach iddi hi ei hun wnâi Mair. Beth oedd arwyddocâd y wên, tybed? Oedd hi'n celu rhyw wybodaeth? Oedd hi'n gwybod mwy nag yr oedd hi'n ei gyfaddef? Pa mor driw fyddai hi pe byddai hi'n cael y gwir? Roedd Beni a Flo wedi awgrymu'n gryf mai dim ond nhw oedd i gadw'r gyfrinach. Doedd dim diben mewn rhannu cyfrinach neu fyddai hi ddim yn gyfrinach dim mwy.

Gadawodd y tri'r lôn las a throi am y lôn bost. Roedd y rhesi ceir fel staes am y stryd gan ei gwneud hi'n gulach nag arfer. Doedd hi ddim yn help ei bod hi'n noson bins chwaith a'r trolis ailgylchu'n creu ras rwystr i unrhyw un a geisiai dramwyo'r palmentydd. Roedd ceir wedi eu gwasgu i bob bwlch, hyd yn oed rhai blith draphlith ar y pafin. Cywasgwyd y stryd helaeth yn un lôn fach gyfyng. Roedd yr hylltod ceir yn brawf y byddai yna gynulleidfa niferus yn y seremoni.

Anfantais y carneddi o geir a'r bins llawn oedd bod Llion Huws druan yn sownd yn ei sgwter y tu allan i'r Parlwr Pincio. Edrychai fel gwybedyn wedi'i ddal gan y golau heb unrhyw obaith o ddianc. Doedd dim lle iddo ar y pafin, a dim lle iddo geisio symud y sgwter i'r lôn. Roedd golwg bron â drysu arno. Aeth y tri ato'n ddi-oed i'w gynorthwyo a'i godi o'r sgwter a'i gynnal gystal ag y medrent. Canfu Beni fwlch bychan rhwng dau gar a chodi'r sgwter gyda holl nerth ei freichiau cyhyrog a'i roi ar y lôn. Dan gyfarwyddiadau Beni, gwarchodwyd y sgwter ar y lôn cyn i gerbyd arall ddod ar eu traws. Yn y cyfamser, yn ymddangosiadol ddiymdrech, cododd Beni Llion Huws i'w freichiau a chario'i gorff eiddil at y sgwter. Diolchodd Llion i'r tri o waelod ei galon. Roedd o wedi dechrau anobeithio na fyddai'n gallu mynychu'r seremoni y bu'n edrych ymlaen mor eiddgar ati hi. Byddai hynny wedi bod yn siom enbyd iddo.

Hebryngwyd Llion tuag at y neuadd gan y tri tra chwifiai'r baneri coch, gwyn a gwyrdd yn llawen o lampau'r stryd uwchben. Byddai croeso brwd i'r Cymry fyddai'n heidio yno i'r Brifwyl ddechrau Awst. Gobeithio'n wir y byddai'r tywydd braf yn para.

Wrth droi oddi ar y stryd a phasio ffenestri tywyll capel Horeb, gwelsant yr haid camerâu yn disgwyl eu prae. Eisteddai'r torfeydd ar y gwair y tu allan i'r Neuadd Goffa yn mwynhau gwydraid o win a sgwrs. Roedd tîm Llenyddiaeth Cymru wedi bod wrthi'n ddiwyd yn sicrhau ymborth a diod a chroeso cynnes i bawb.

'Llinos! Llinos!' Daeth Branwen ati hi a'i chyfeillion ar ei hunion er mwyn eu cludo'n ddiffwdan i'r neuadd o olwg y camerâu. Roedd hi mor braf ei gweld, meddyliodd Llinos. Bu Branwen yn gymaint o gymorth yn ystod y misoedd diwethaf gan roi pob anogaeth bosib iddi hi. Roedd hi, rhaid cyfaddef, yn chwip o olygydd.

Roedd y neuadd ar ei gorau a'r waliau wedi cael côt newydd o baent coch cynnes. Yn hongian o'r trawstiau roedd adar bach papur digon o ryfeddod yn llenwi'r lle.

Roedd Florence, gyda chymorth parod Beni, wedi mynd i drafferth mawr ac wedi addurno'r neuadd yn adardy lliwgar. Roedd Llinos mor falch bod Llenyddiaeth Cymru wedi cytuno i Flo gael ei chynnwys yn y trefniadau. Llwyddodd Flo i ddefnyddio clawr pob llyfr ar y rhestr fer Cymraeg a Saesneg a'u troi'n adar bach lliwgar. Roedd pob un o'r awduron wedi dotio arnynt ac amryw'n holi Flo a gaent brynu'r adar bach a wnaed o'u cloriau nhw. A dyna sicrhau na fyddai unrhyw awdur yn gadael y digwyddiad yn waglaw, ennill eu categori ai peidio. Byddai Flo'n gwneud arian bach twt yn sgil yr adar.

Hen bregeth gan Llinos oedd ei bod hi'n hen bryd i ddylunwyr cloriau gael eu clodfori'n ogystal â'r awduron. Gallai clawr werthu llyfr, neu ei adael ar gownter siop lyfrau'n barod i'w ddiraddio i'r bocs bargeinion. Digwyddai hynny'n aml iawn yn Siop yr Inc. Rhyw dalcen slip o gloriau oedd ar nifer o gyhoeddiadau heddiw, os gweddus dweud. Prin iawn fyddai'r cloriau oedd yn tynnu sylw; yn ddarnau o gelfyddyd. Pam na fyddai gweisg yn gweld yn dda i gefnogi a buddsoddi mewn artistiaid o Gymru? Pryd welai darllenwyr Cymru siaced lwch gan artist fel Kyffin ar nofel fel *Un Nos Ola Leuad* eto? Sawl gwaith y ceisiodd Llinos ddarbwyllo trefnwyr y seremoni yn y gorffennol i gynnwys gwobr ar gyfer y clawr gorau? Oni fyddai hynny'n codi statws dylunwyr ac artistiaid yng Nghymru a hynny mewn partneriaeth â'r awduron? Gallai'r wobr fod ar gyfer cloriau Cymraeg a Saesneg, gan uno'r ddwy iaith o fewn yr un gystadleuaeth.

Gwyddai mai diffyg cyllid a nawdd oedd i gyfrif am fethu datblygu'r seremoni, yn hytrach na diffyg gweledigaeth. Er mai 'Llyfr y Flwyddyn' oedd teitl y seremoni o hyd, roedd llyfrau'r deunaw mis diwethaf wedi eu cynnwys eleni gan y tybid na fyddai cyllid ar gyfer y seremoni am ddwy flynedd arall. Llyfr y Flwyddyn bob yn ail flwyddyn felly! Dyna sut y cafodd *Plagiarius* ei chynnwys eleni, gan mai dim ond cwta wyth mis yn ôl y cyhoeddwyd y gyfrol. Druan o'r beirniaid. Bu'n rhaid iddynt ddarllen cruglwyth o gyfrolau ar wib.

Aeth Llinos at Flo i'w llongyfarch ar ei harddangosfa hudolus a rhoi cusan ar ei boch. Roedden nhw wedi dod i ddeall ei gilydd yn dda dros y misoedd diwethaf ac wedi bod yn gefn mawr i'w gilydd. Gwyddai Llinos fod Beni a hithau'n ffrindiau mynwesol erbyn hyn hefyd, yn enwedig o gofio fod Beni wedi elwa o sesiynau origami Flo rai blynyddoedd ynghynt. Tynnwyd Beni i mewn i baratoadau addurno'r neuadd yn barod ar gyfer y seremoni. Bu'n byw a bod yn yr hen stesion dros yr wythnosau diwethaf yn helpu Flo. Trawsnewidiwyd seler yr hen stesion gan symud y peiriant golchi, y peiriat sychu, y bwrdd smwddio a'r llyfrau i fyny i'r tŷ. Dan arweiniad Flo, bu Beni wrthi'n ddygn yn didoli tudalennau'r llyfrau a symudwyd o'r seler i'r tŷ, yn barod i'w fandaleiddio'n ddarnau o gelf, yn addurniadau, yn llateion. Roedd gan hyd yn oed adar bach bregus eu cryfder a'u lle yn y byd. Roedd gan Beni hefyd. Pennawd y papur bro fis Tachwedd diwethaf, ar ôl iddo yntau a'r drudwy bach wneud eu gwaith o achub Llinos, oedd 'A fo Beni, bid Bont'.

Gwenodd Flo a Llinos ar ei gilydd. Doedd dim amser am sgwrs go iawn. Ddim rŵan. Byddai digon o gyfle yn ddiweddarach y noson honno i roi'r byd yn ei le. Mae'n siŵr y byddai Llinos yn mynd draw i'r hen stesion am neitcap bach haeddiannol cyn mynd adre. Byddai Beni'n siŵr o ddod efo hi gan ei fod yntau'n gwybod yn iawn fod Llinos yn parhau fymryn yn nerfus i gerdded drwy'r pentref ar ei phen ei hun, yn enwedig gyda'r nos.

Roedd y seremoni ar fin cychwyn. Llanwyd y neuadd gan awduron; llyfrwerthwyr; golygyddion; swyddogion Cyngor y Celfyddydau; y Cyngor Llyfrau; holl dîm Llenyddiaeth Cymru; newyddiadurwyr a darllenwyr. Roedd nifer yno o'r pentref hefyd; rhai na fyddai'n darllen rhyw lawer o Gymraeg ar wahân i unwaith y mis pan fydden nhw'n darllen y papur bro. Roedd Llion wedi stwffio ei sgwter i'w ganol, yn brysur gyda'i gamera ac yn ei elfen o weld fod prif awduron Cymru wedi tyrru i Bont-henfelen. Byddai digon o ddeunydd a lluniau ar gyfer rhifyn nesaf *Y Bont*. Sodrodd Mair ei hun wrth ochr ei sgwter, a'i llygaid yn llawn dagrau o lawenydd.

Ni fu'n syndod i neb mai *Plagiarius* enillodd y wobr yng nghategori Barn y Bobol a'r categori Ffeithiol Greadigol Cymraeg. Cododd pawb ar eu traed fel un i longyfarch yr awdur yn wresog. Roedd Llinos Rhisiart yn haeddu pob clod am oroesi ei chyfnod arteithiol dan glo yn seler Argoed heb sôn am y sylw roedd hi wedi ei ddenu i'r pentref. Nid pentref bach i'w osgoi oedd Pont-henfelen bellach, ond lle nodedig i ymweld ag o. Os oedd y gynulleidfa wedi gwironi ar ei champ yn ennill y ddau gategori cyntaf, daeth bonllefau a stampio traed ddiwedd y seremoni pan gyhoeddwyd, nid yn annisgwyl, mai *Plagiarius* hefyd enillodd wobr Llyfr y Flwyddyn.

Achosodd dirgryniadau'r neuadd i'r adar bach papur uwchben hwythau chwifio eu hadenydd. Canodd Llion gorn ei sgwter a fflachio'i oleuadau coch mewn gorfoledd a Mair ar ei thraed wrth ei ymyl yn dawnsio a chrio am yn ail. Roedd hi'n rhyddhad i Llinos fod Mair wedi dod ati hi ei hun ers cyhoeddi'r gyfrol a hithau wedi sorri'n bwt nad oedd Llinos wedi ei henwi hi yn y rhagymadrodd. Bu'n rhaid i Llinos ymddiheuro ar y pryd. Derbyn yr ymddiheuriad yn rhyfedd o rasol wnaeth Mair, chwarae teg, gan ddweud, 'Camgymefiad, Llinos. Mae pawb yn gwneud camgymefiadau.' Doedd Llinos ddim yn licio dweud wrthi hi nad camgymeriad o gwbl oedd peidio â'i chynnwys; wedi'r cyfan, doedd hi, yn wahanol i Beni a Flo, ddim wedi bod yn ganolog yn eu hymdrech arwrol i'w rhyddhau hi o'r seler. Wnaeth Llinos ddim egluro yn y rhagymadrodd fod Flo wedi dod â'i thrywel garddio efo hi i Argoed ar ôl galwad ffôn Beni ac mai efo hwnnw y waldiodd hi Robin! Y cyfan ddywedodd Llinos yn y rhagymadrodd oedd diolch i Flo am ddyluniad hyfryd y clawr.

Yr hyn na wyddai Llinos oedd bod Mair wedi bod yn dyst i'r symudiadau rhyfedd rhwng Argoed a'r hen stesion y noson y canfuwyd Llinos yn y seler. Ond cyfrinach fach Mair oedd honno, i'w chadw. Am rŵan.

Bu'n rhaid i Llinos godi i dderbyn ei gwobr dair gwaith drwy'r mwg a'r goleuadau ac i sain cerddoriaeth, yn union fel pe bai'n seren ddisglair mewn clwb nos. Cân Eden, yn addas iawn, sef 'Paid â Bod Ofn', oedd un o'r caneuon a ddewiswyd. Doedd Llinos ddim mor siŵr am berthnasedd 'What you need is what you get' ar gyfer un o'r gwobrau wrth iddi gamu eto fyth i fyny at y llwyfan.

Nododd y beirniaid eu hedmygedd o'r gwaith; ei bod hi'n gyfrol unigryw, yn fath o gofiant, ond yn darllen hefyd fel nofel hynod afaelgar. Roedd y teitl hefyd wedi cosi eu chwilfrydedd, ac o ymchwilio dyma ganfod fod y gair 'plagiarius' nid yn unig yn cyfeirio at lên-ladrad ond yn deillio o'r gair Lladin am herwgipio; gair yn disgrifio person oedd yn cuddio'n anghyfreithlon, person rhydd neu gaethwas oedd yn perthyn i rywun arall. Addas iawn!

Cafwyd darlleniad o gychwyn pennod gyntaf y gwaith gan un o brif actoresau Cymru, a phawb ar flaenau'u seddi'n gwrando'n astud, er bod y rhan fwyaf ohonynt wedi darllen y gyfrol ar ei hyd yn barod. Bu cryn drafod ar ei chynnwys dros y misoedd diwethaf, nid yn unig yng Nghymru ond hefyd dros Glawdd Offa.

Roedd y wasg hefyd mewn trafodaethau gyda chwmni cyhoeddi mawr o Lundain i gyfieithu'r gyfrol i'r Saesneg. Llonyddodd y dorf i wrando ar eiriau cyntaf y gwaith:

> Gwrandawodd Robin ar atsain clep drws y tŷ'n diasbedain yn donnau mân. Safodd yn stond yn moeli ei glustiau. Gwyrodd ei ben fymryn i un ochr. Clustfeiniodd eto'n ddisymud. Tawodd taran y drws yr haid adar fu'n trydar ers ben bore. Nid trydar chwaith. Roedd trydar yn sain i'w groesawu, i'w fwynhau. Na, nid trydar, ond crawcian croch. Gwrandawodd ar y tonnau'n gostegu. Roedd yna hud i dawelwch; roedd iddo sain arbennig oedd yn deffro'i synhwyrau i gyd…

Roedd Llinos wedi dechrau ymlacio ac yn mwynhau'r seremoni. Gwyddai fod pawb yn y neuadd yn ymfalchïo yn ei llwyddiant, yn Gymry Cymraeg a di-Gymraeg. Ni ddeallai'n iawn pam fod yn rhaid i'r cyflwynydd gyfieithu pob gair o'i gyflwyniad yn slafaidd o'r Gymraeg i'r Saesneg. Beth oedd diben cael yr offer cyfieithu o wneud hynny? Doedd Llinos chwaith ddim yn hoffi i'r cyflwynydd wneud jôc fawr o'r ffaith nad oedd wedi darllen dim byd o werth ers pan oedd yn blentyn yn darllen Enid Blyton! Pam dewis cyflwynydd fel yna ar gyfer seremoni Llyfr y Flwyddyn? Pa fath o esiampl oedd hynny mewn cyfnod o gyni a gwasgfa ar werthiant llyfrau Cymraeg? Bid a fo am hynny, bu'n noson werth chweil ac roedd Beni a Flo, Llion a Mair, ac yn arbennig Branwen ei golygydd, ar ben eu digon.

Gyda'r seremoni ar ben, dyma pawb yn cythru am y bar a godwyd dros dro gan Nigel a Helen yr Eryr ar gyfer yr achlysur. Cyfle gwych i roi atgyfodiad bach i'w busnes bregus nhw. Efallai y deuai llewyrch i'r Eryr unwaith eto. Roedd llwyddiant yn denu llwyddiant. Roedd Pont-henfelen ar i fyny o'r diwedd!

Gwthiodd Llion ei hun drwy'r torfeydd er mwyn cyrraedd at ei arwr. Roedd o fel ci â dwy gynffon a doedd wiw i neb wadu ei foment fawr. Roedd ganddo englyn roedd o wedi ei baratoi ac fe roddodd y darn papur i Llinos:

> Yn ei gyrfa o'i gwirfodd ymaros
> Mae'r mawredd a greodd
> Hi. Drwy ei hynni fe rannodd
> Eiriau hud i ni yn rhodd.

Roedd gwên hyfryd Llinos yn datgan ei diolch iddo. Gallai Llion yn hawdd iawn feddwi ar ei gwên hudolus a chafodd ei chaniatâd i gyhoeddi'r englyn yn rhifyn nesaf papur *Y Bont*. Cyfrifai ei hun yn ddyn lwcus iawn o fod yn ei hadnabod. Sodrodd y camera yn nwylo Mair a gofyn iddi dynnu llun ohono fo efo'i arwr. 'Munud y gorffennodd Mair ei gorchwyl tynnwyd Llinos oddi wrtho'n ddisymwth. Roedd y gwŷr camera fel adar corff yn disgwyl amdani.

Cytunodd Llinos i wneud cyfweliad teledu ar ddiwedd y seremoni. Roedd un amod, a'r amod hwnnw oedd na fyddai yna gwestiynau am ei phriodas hi a Robin, nac ychwaith am y dirgelwch ynghylch ei ddiflaniad. Bu ei bywyd priodasol yn brofiad o bendilio rhwng gobaith ac anobaith o un diwrnod i'r llall, o un awr i'r llall; fel un caethiwed hir. Roedd Llinos yn benderfynol o roi'r cyfnod du hwnnw y tu ôl iddi. Bu ei llyfrau a'i hysgrifennu yn gysur iddi hi. Na, doedd Llinos ddim am roi gormod o sylw i Robin. Ei noson hi oedd heno. Ond gwyddai ei bod hi'n naturiol i bobl fod yn chwilfrydig. Yr un oedd y cwestiynau gan bawb. Beth ddigwyddodd i Robin y noson honno? Ble y gallai o fod wedi mynd? Oedd o wedi gwneud amdano ei hun? Oedd o wedi dianc i ryw wlad arall? Oedd o'n cuddio mewn ogof fel rhyw Owain Glyndŵr?

Ychydig a wyddai pobl Pont-henfelen wrth roi eu biniau allan y noson gythryblus honno, meddyliodd Llinos, gymaint y bu'r *wheelie bin* yn achubiaeth ar noson 'diflaniad' Robin. Wrth gwrs, doedd Llinos ddim wedi gallu gweld dim o'r digwyddiadau brawychus o seler Argoed, ond fe wyddai fod ysgarmes ar dop y grisiau. Ond pwy fyddai'n ennill y sgarmes? Roedd clywed y cyfan heb fedru gwneud dim yn brofiad cyfan gwbl arteithiol iddi hi. Gwyddai fod Beni yn cael ei anafu'n ddifrifol o'r synau a glywai. Gweddïai na fyddai niwed mawr yn dod iddo ac y câi hithau ei rhyddhau. Roedd hon yn stori y gallodd ei hadrodd i'r wasg ac i'r heddlu maes o law. Ond wnaeth hi ddim cynnwys y rhan am y llaw a'r llawes streipiau Breton. Doedd hi ddim am lusgo Florence i mewn i'r stori. Digon oedd dweud bod Beni wedi dyfalu mai yn seler Argoed yr oedd Llinos, ei fod wedi herio Robin a'i bod hi wedi troi'n ymrafael hyll iawn rhyngddo fo a Robin. Roedd hynny'n wir bob gair.

Yr hyn na wyddai Llinos oedd fod Mair, y noson dyngedfennol honno, newydd roi ei bin allan o flaen y drws ac ar fin mynd yn ôl i'r tŷ pan welodd hi Flo a Beni'n llusgo *wheelie bin* trwm i lawr yr allt. Rhyfeddodd Mair o weld fod gan Beni sgriffiadau a gwaed yn pistyllio o'i lygad. Roedd ganddo hen sgarff dartan Llinos yn fandais blêr gwaedlyd am ei ben. Wnaeth hi freuddwydio hyn? Wyddai Mair ddim ar y pryd sut y cafodd Beni'r fath anffawd. Peth rhyfeddach fyth yn ei thyb hi oedd bod angen dau i lusgo'r bin! Pam nad oedd Robin yn mynd â'r bin ei hun? Oedd o'n sâl? A beth ddiawl oedd Florence Station House yn wneud yn cydlusgo *wheelie bin* Argoed? Feddyliodd Mair ddim llawer mwy am y peth tan i Daniel ddechrau cyfarth bron i awr yn ddiweddarach. Dyna'r pryd yr aeth Mair at ffenest y gegin a gweld Beni'n bustachu yn ôl i fyny'r allt i gyfeiriad Argoed efo *wheelie bin* ysgafn a chath ddu yn ei ddilyn bob cam. Doedd dim sôn am Flo y tro hwn. Mae'n rhaid felly fod y bin yn wag erbyn hyn, meddyliodd Mair y noson ryfedd honno. Beth oedd ar droed? Gallai feddwl bod angen sylw meddygol ar Beni gyda'i holl anafiadau. Ond beth oedd gan Argoed i'w wneud â hyn oll? A pha ran fu gan Flo yn yr holl beth?

O fewn llai na chwarter awr, gwelodd Mair oleuadau glas ceir heddlu ac wedyn ambiwlans yn derfysg o liw a sŵn wrth iddynt ruo i fyny'r allt. Roedd y gwasanaethau

brys wedi derbyn galwad ffôn gan Beni'n dweud fod Llinos
Rhisiart wedi ei chanfod yn seler Argoed a bod Robin
Richards wedi dianc ar ôl sgarmes ffyrnig rhyngddo fo
a Beni. Bu'n rhaid cael y frigâd dân i ryddhau Llinos o'r
cadwyni am ei phigyrnau. Ymhen hir a hwyr, aed â Beni a
Llinos ar eu hunion i'r ysbyty.

Cafodd Mair a gweddill y byd wybod fore trannoeth
bod Llinos Rhisiart yn fyw wedi'r cyfan, ac mai wedi ei
charcharu yn y seler gan ei gŵr yr oedd hi ar hyd yr holl
fisoedd! Roedd y pentref cyfan wedi ei uno mewn sioc.
Anodd iawn oedd coelio'r peth! Ac wrth i Mair geisio
rhoi'r darnau at ei gilydd, deallodd pam y bu Robin mor
gyndyn ar hyd y misoedd o'i gwahodd hi i mewn i Argoed
ar ôl diflaniad Llinos druan. A dyna Robin Richards wedi
diflannu'n ddisymwth ar ôl ymrafael rhyngddo fo ac arwr
yr holl hanes: Beni Bins. Y digwyddiad yma oedd testun
sgwrs pawb, nid yn unig ym Mhont-henfelen, ond yn wir
ymhob pentref a thref drwy Brydain. Dyma oedd stori
fawr y papurau Sul i gyd y penwythnos dilynol.

Daeth yr heddlu i holi Mair y bore hwnnw i weld a oedd
hi wedi gweld neu glywed rhywbeth anarferol y noson
gynt. Wedi'r cyfan, hi oedd y cymydog agosaf. Oedd hi
wedi gweld Robin yn gadael Argoed? Dechreuodd Mair
fwynhau'r holl sylw. Am eiliad fer, fe deimlai'n bwysig;
fe deimlai'n berthnasol. Eglurodd wrth yr heddwas bach
ifanc, ar ôl mynd drwy'r ddefod hirwyntog o baratoi paned
o goffi iddo fo, fod Robin wedi bod am goffi yn ei chegin
y bore hwnnw, a'i bod hi wedi bod â chafetière fel anrheg

iddo yn ddiweddarach y prynhawn hwnnw. Hysbysodd yr heddlu hi mai'r *cafetière* a ddefnyddiwyd fel arf gan Robin yn erbyn Beni druan. Cafodd Mair ei themtio i chwerthin o flaen yr heddwas, ond cafodd ras i beidio â gwneud hynny. Am ryw reswm, roedd yr holl beth wedi gwneud iddi feddwl am y gêm Cluedo y byddai hi a'i mam wrth eu boddau'n ei chwarae adeg y Dolig. Cofiai rai o'r arfau: canhwyllbren, peipen led, rifolfer, rhaff a chyllell. Doedd hi ddim yn cofio bod yna *cafetière* yn rhan o'r rhestr arfau!

Pwysodd yr heddwas am fwy o wybodaeth ganddi hi. Oedd hi ddim wedi gweld neu glywed rhywbeth y noson honno? Yr unig beth y gallai Mair ei ddweud wrtho bryd hynny oedd ei bod wedi meddwl fod Robin ar bigau'r drain y prynhawn hwnnw; ei fod o fymryn yn aflonydd, ac nad oedd hi'n meddwl ei fod o mewn lle da. Holodd yr heddwas hi beth yn union oedd ganddi mewn golwg wrth ddweud nad oedd Robin 'mewn lle da'. Oedd hi'n credu y gallai fod wedi gwneud amdano'i hun? Cymerodd Mair ei hamser cyn ateb gan ddweud wedyn nad ei lle hi oedd dyfalu beth oedd wedi digwydd. Ond roedd hi'n cofio'n dda na wnaeth Robin werthfawrogi ei haelioni hi. Unwaith eto bu'n rhaid i'r heddwas bach ofyn iddi hi beth yn union roedd hi'n ei feddwl wrth hynny. Erbyn hyn, roedd Mair wedi dechrau mwynhau ei hun ac aeth yn ei blaen i egluro na wnaeth Robin ddim diolch yn ddiffuant iawn iddi hi am fynd i'r drafferth o brynu a mynd â choffi a chafetière drudfawr yn anrheg iddo. Pe byddai hi'n gwybod hynny o flaen llaw, fyddai hi ddim wedi trafferthu bod mor garedig tuag ato fo.

Er gwaethaf amheuon Mair am ddigwyddiadau helbulus y noson honno, nid ynganodd air wrth yr heddlu am Beni a Flo a'r *wheelie bin*; nac ychwaith am ei hamheuon am seler yr hen stesion. Dawnsio ar ymyl y dibyn fyddai hynny ac roedd ganddi ormod o deyrngarwch at Llinos i ddechrau rhyw hen sïon diangen, am rŵan. Gwyddai fod gan bob stori ddau du i bob tudalen. Wedi dweud hynny, roedd hi'n hynod siomedig nad oedd Llinos a Beni wedi ei chynnwys hi yn eu cyfrinach. Pam cynnwys y Saesnes Flo yna o'i blaen hi? Oedden nhw'n meddwl ei bod hi'n rhy dwp i bwyso a mesur popeth a ddigwyddodd y noson honno a dod i'w chasgliad ei hun? Efallai y câi gyfle i'w synnu nhw i gyd rhyw ddiwrnod wrth ddatgelu ei theori ei hun am 'ddiflaniad' Robin. Edrychodd Mair draw at Llinos oedd wedi cael ei rhwydo gan newyddiadurwr a'r criw teledu.

Hebryngwyd Llinos i eistedd ar un o ddwy gadair foethus o dan y goleuadau efo cyflwynydd rhaglen gelfyddydol S4C. Roedd hon yn rhaglen fyw a gellid gweld yn glir fod Llinos yn eithaf nerfus. Cychwynnwyd ar y cyfweliad ar ôl i Llinos ddarbwyllo'r cyflwynydd y byddai'n well ganddi ganolbwyntio ar ei phriod waith fel llenor yn hytrach na'i bywyd truenus efo'i phriod Robin. Cytunodd y cyflwynydd wysg ei thin. Dechreuodd drwy ei llongyfarch hi ar ei champ nid yn unig yn ennill categori

Barn y Bobol a'r categori Ffeithiol Greadigol, ond hefyd wobr Llyfr y Flwyddyn, cyn gofyn,

'Er bod *Plagiarius* wedi ei gosod yn y categori Ffeithiol Greadigol, ai cofiant neu nofel yw hon mewn gwirionedd?' Atebodd Llinos yn bwyllog:

'Yn sicr mae'r nofel hon, os nofel hefyd, yn fath o "gofiant" i Robin, ond wyddon ni ddim i sicrwydd a yw Robin yn fyw ai peidio, felly does dim posib llunio cofiant fel y cyfryw iddo. Ond mae yma elfennau cofiannol, oes, ond prysuraf i ychwanegu hefyd nad y math o gofiant traddodiadol person cyntaf o fywyd yn cael ei ddisgrifio'n gronolegol a geir yma. Does fawr ddim yma am yrfa Robin fel awdur erthyglau coffa, fel beirniad llenyddol, fel ymgynghorydd celfyddydol, ond yn hytrach codir cwr y llen ar y person yn ei holl gymhlethdodau. Dyma gyfle i fynd dan yr wyneb a chawn gipolwg, am y tro cyntaf, y tu hwnt i'r wedd gyhoeddus. Gwrandewch ar ei lais. Clywch yr hanes. Gadawaf i'r darllenydd ddod i'w gasgliad ei hun sut ddyn oedd y Robin preifat.'

'Sut ddyn oedd y Robin preifat?'

Gwenodd Llinos a dweud, 'Darllenwch *Plagiarius*!'

Daeth cwestiwn arall yr oedd Llinos eto wedi ei ragweld,

'Beth feddyliech chi fyddai barn Robin am y gyfrol hon?'

Smaliodd Llinos ddwysystyried yr ateb yr oedd hi wedi ei ragbaratoi i gwestiwn mor amlwg.

'Dyma oedd breuddwyd fawr Robin: cael cyhoeddi

hanes ei fywyd a thrwy hynny gael cydnabyddiaeth am unrhyw gyfraniad a wnaeth yn ystod ei oes. Yn hynny o beth, dwi'n falch iawn i'r gyfrol fach ryfedd hon gael ei chyhoeddi a chael derbyniad mor wresog. Byddai Robin wedi bod ar ben ei ddigon. Hyderaf y ceir yma gofgolofn briodol i'r dyn ei hun. Eironi'r sefyllfa, ac un o drasiedïau mawr ei fywyd, yw nad yw Robin yma i fwynhau'r holl sylw.'

Roedd Llinos wedi gobeithio y byddai hynny'n glo addas i'r cyfweliad. Ond roedd hi'n amlwg fod gan yr holwraig syniadau eraill. Dechreuodd Llinos golli amynedd yn ddistaw bach, ond doedd wiw iddi hi ddangos hynny. Y gwir plaen oedd nad oedd hi eisiau i Robin fynnu'r sylw i gyd. Ei noson hi oedd hon. Yn groes i'r graen, roedd y cwmni teledu wedi ceisio parchu ei dymuniad i beidio trafod ei charchariad yn y seler. Ond roedd hi'n ormod o demtasiwn gan yr holwraig i beidio â chrafu fymryn eto ar graith y gorffennol. Gofynnwyd yn gyntaf iddi a fyddai yna ddilyniant i *Plagiarius*. Ai hwn oedd diwedd y llyfr? Atebodd Llinos yn bwyllog,

'Diwedd y llyfr efallai, ond nid diwedd y stori.'

Aeth y cyflwynydd rhwystredig yn ei blaen gyda chwestiwn digon tebyg i'r cyntaf gan ofyn iddi hi faint o'r gyfrol oedd yn ffeithiol a faint ohoni oedd yn greadigol. Beth oedd hanes ei gŵr erbyn hyn, tybed? A wyddai unrhyw un ble roedd o? Wnaeth yr holwraig ddim ychwanegu'r hyn oedd ar feddwl pawb, sef na fu i fawr neb golli dagrau na phoeni rhyw lawer oedd Robin

Richards yn fyw neu'n farw. Ond bid a fo am hynny, roedd ei ddiflaniad ddechrau'r hydref y llynedd yn parhau'n enigma i bawb. I ble'r aeth o? Y cyfan y mentrodd Llinos ei ddweud wrth y cyflwynydd oedd na wyddai hi i ble'r aeth Robin. Roedd o fel pe bai o wedi cael ei lyncu gan ei dywyllwch ei hun.

Roedd Robin Richards, yn sgil ei ddiflaniad, wedi dod yn enw adnabyddus ledled Prydain. Bu ei hanes yn ysgogiad nid yn unig i sawl erthygl papur newydd ond hefyd i sawl darn o lenyddiaeth. Roedd si bod yna gwmni o Lundain yn awyddus i droi'r stori'n ffilm fawr. Roedd Llinos yn ddistaw bach yn mwynhau eironi'r ffaith fod Robin druan o'r diwedd wedi gwireddu ei freuddwyd o ganfod enwogrwydd.

Torrodd llais melfedaidd yr holwraig ar draws ei meddyliau gan wthio'r cwestiwn tuag ati eto, yn benderfynol o gael ateb boddhaol. Faint o'r 'cofiant' oedd yn seiliedig ar wirionedd, tybed? Cofiodd Llinos eiriau Yncl Joni pan âi ar ymweliad gyda'i mam i Angorfa a hithau'n blentyn, pan ddywedodd o wrthi mai 'efo celwyddau mae gwaith yn cael ei greu'. Gwenodd enillydd Llyfr y Flwyddyn ar yr holwr, taflu winc fach smala at Florence a Beni oedd yn gwylio'r cyfan y tu ôl i'r camera, a dweud i gloi'r cyfweliad,

'Mae'r gwirionedd yn gelwydd i gyd.'